公認会計士試験

短答式試験対策シリーズ

監査論

TAC公認会計士講座

ADVANCED アドバンスト問題集

CERTIFIED PUBLIC ACCOUNTANT

TAC出版
TAC PUBLISHING Group

はじめに

本書は，好評いただいている『ベーシック問題集　監査論』の上級版として，本試験の質とレベルを具現化してスリムな１冊の問題集にまとめたものです。

論点の選別においても，問題の難易度においても，より本試験に近い質とレベルにあわせて編集してありますので，本試験での合格点突破をより確実なものにするための最適な問題集となっています。

この本に載っている問題を試してみてください。本試験の雰囲気がつかめるはずです。

なかには解説を読んでもピンとこないような，難しすぎると思われる問題もあるかもしれません。そんなときは，普段の勉強に使っている基本書に立ち戻り，該当論点についての理解を今一度，確認してください。問題を解こうとして悩み，間違えたあとですから，理解は一段と深まるはずです。

公認会計士短答式試験合格のために，ぜひ本書をご活用ください。

ＴＡＣ公認会計士講座

本書執筆にあたっては，令和６年４月１日現在有効な法令等を前提としています。

公認会計士をめざす方へ

本書は,『ベーシック問題集　監査論』の上級版として，合格可能性をさらに高めていくために，より実践的な知識を必要とする本試験レベルの難度の問題を収録した問題集として構成しています。

短答式試験の合格を目指すうえで必須の条件となるのは，誰もが得点できるレベルの問題を確実に得点することですが，加えて合格のためには，より高度な問題についても正答可能性をゼロではなく相当程度まで引き上げることが必要となります。本番では，公認会計士・監査審査会が公表している出題範囲のうち，論文式試験の重点出題項目から除外されている分野から細かい知識を問う出題も見られます。

そこで，本問題集では，そうした分野についても相当数の問題を用意し，短答式試験に向けて盤石の体制を築いていただくことができるようにしています。

本書を活用して本試験第一の壁となる短答式試験の合格を乗り越えていただければ幸いです。

目　次

I　監査の実施

II　監査報告

Ⅲ　個別論点

Ⅳ　保証業務

Ⅴ　監査制度

問題編

Certified Public Accountant

問題 1　監査証拠と監査手続①

監査証拠に関する次の記述のうち，正しいものの組合せとして最も適切な番号を一つ選びなさい。

ア．監査証拠は，アサーションを裏付ける情報と矛盾する情報の両方から構成されるが，情報がないことそれ自体は，アサーションを裏付けることにもアサーションと矛盾することにもならないため，監査証拠とならない。

イ．監査証拠が十分であるために必要な監査証拠の量は，監査証拠の質によって影響を受け，質が高いほど，より少ない監査証拠で済む一方で，質が低い場合には，数多くの監査証拠を入手して補完することもある。

ウ．期末日後の売掛金の回収に関連した文書の閲覧は，売掛金の期末日における実在性と評価の妥当性に関する監査証拠を提供するが，売掛金の期間帰属の適切性については必ずしも監査証拠を提供しない。

エ．監査人は，複数の情報源から監査証拠を入手することがあるが，ある情報源から入手した監査証拠が他の情報源から入手した監査証拠と矛盾する場合には，証明力がより強い監査証拠を優先する。

1．アイ　　2．アウ　　3．アエ　　4．イウ　　5．イエ　　6．ウエ

問題 2　監査証拠と監査手続②

監査手続に関する次の記述のうち，正しいものの組合せとして最も適切な番号を一つ選びなさい。

ア．内部統制の運用について，観察により入手した監査証拠よりも，質問により入手した監査証拠の方が証明力が強い。
イ．確認においては，第三者から紙媒体による回答を入手しなければならず，電子媒体その他の媒体による回答では，確認の定義を満たさない。
ウ．質問は，企業内外の関係者に情報を求める監査手続であるが，その回答者が企業内部者又は企業外部者のいずれであるかにかかわらず，監査人は，質問に対する回答を評価しなければならない。
エ．記録や文書の閲覧は，企業及び企業環境を理解するための監査手続としてのみならず，運用評価手続や実証手続としても用いられる。

1．アイ　　2．アウ　　3．アエ　　4．イウ　　5．イエ　　6．ウエ

□
□
□

問題 3　特定項目の監査証拠

特定項目の監査証拠に関する次の記述のうち，正しいものの組合せとして最も適切な番号を一つ選びなさい。

ア．監査人は，第三者が保管し，管理している棚卸資産が財務諸表において重要である場合には，棚卸資産の実在性と状態について十分かつ適切な監査証拠を入手するため，当該第三者に対して確認を実施しなければならない。
イ．監査人は，実地棚卸の立会において，実施されている棚卸手続の実施状況を観察することにより，経営者の指示や実地棚卸手続が適切にデザインされ業務に適用されているという監査証拠を入手することができる。
ウ．監査人は，重要な訴訟事件等が存在する可能性があると判断した場合には，経営者によって作成され監査人によって発送される質問書によって，企業の顧問弁護士と直接コミュニケーションをしなければならない。
エ．セグメント情報は，財務諸表の補足的な情報として開示書類に含められるものであり，財務諸表を構成しないことから，監査人は，その適否に関して十分かつ適切な監査証拠を入手することは求められない。

1．アイ　　2．アウ　　3．アエ　　4．イウ　　5．イエ　　6．ウエ

問題 4　確認

確認に関する次の記述のうち，正しいものの組合せとして最も適切な番号を一つ選びなさい。

ア．監査人は，期末日を基準日として売掛金の残高確認を実施することにより，通常，売掛金の実在性及び評価の妥当性のみならず，売上高の期間配分の適切性に適合した監査証拠も入手することができる。

イ．確認依頼への回答には，その利用に際して責任を限定する文言を含んでいることがあるが，そのような文言は，監査証拠としての回答の信頼性を必ずしも損ねるわけではない。

ウ．消極的確認から入手される監査証拠の証明力は相対的に弱いため，監査人は，アサーション・レベルで評価した重要な虚偽表示リスクに対応するための単独の実証手続として消極的確認を利用してはならない。

エ．消極的確認の回答を受領しなかったとしても，確認回答者が確認依頼を受領したとは限らないため，確認回答者が消極的確認に回答しなかったことは，積極的確認の回答と比べて証明力が弱い監査証拠としかなり得ない。

1．アイ　　2．アウ　　3．アエ　　4．イウ　　5．イエ　　6．ウエ

□
□
□

問題 5　分析的手続

分析的手続に関する次の記述のうち，正しいものの組合せとして最も適切な番号を一つ選びなさい。

ア．監査人が実証手続として詳細テストと分析的実証手続とを組み合わせて実施する場合，監査人が評価したリスクが高くなるほど，分析的実証手続に依拠する程度は低くなる。

イ．分析的実証手続を実施する場合，計上額と監査人の推定値との差異に対して追加的な調査を行わなくても監査上許容できる差異の金額を決定しなければならないが，この金額は，監査人が評価したリスクが高くなるほど，増加する。

ウ．監査人は，分析的手続から識別された他の関連情報と矛盾する，又は推定値と大きく乖離する変動若しくは関係について経営者に行った質問に対して回答が得られた場合には，他の監査手続を実施する必要はない。

エ．監査の最終段階において全般的な結論を形成するための分析的手続は，財務諸表の個別の構成単位又は構成要素について監査中に形成された結論を裏付けることが意図されている。

1．アイ　　2．アウ　　3．アエ　　4．イウ　　5．イエ　　6．ウエ

問題 6　試査①

試査に関する次の記述のうち，正しいものの組合せとして最も適切な番号を一つ選びなさい。

ア．試査は，母集団からその一部の項目を抽出して，それに対して監査手続を実施する方法であるが，母集団の中から抽出されない母集団の残余部分に関する監査証拠を提供することもある。
イ．監査サンプリングにおいて統計的サンプリング又は非統計的サンプリングのいずれの手法を用いるかは，監査人の判断により決定されるが，抽出されるサンプル数が著しく多い場合には，統計的サンプリングを選択する必要がある。
ウ．推定による虚偽表示に例外的な虚偽表示を加えた額が許容虚偽表示額に近づいているとしても，下回る限り，テストされたサンプルは，母集団に関する結論に対して合理的な基礎を提供していると判断されることになる。
エ．ノンサンプリングリスクは，監査人が，サンプリングリスクに関連しない他の理由によって，誤った結論を導くリスクをいい，監査サンプリングにおいてのみならず，特定項目抽出による試査においても生じる。

1．アイ　　2．アウ　　3．アエ　　4．イウ　　5．イエ　　6．ウエ

問題 7　試査②

次の記述のうち，監査サンプリングにおけるサンプル数が減少するものの組合せとして最も適切な番号を一つ選びなさい。

ア．運用評価手続において，母集団におけるサンプリング単位数が増加する。
イ．詳細テストにおいて，許容虚偽表示額が増加する。
ウ．詳細テストにおいて，同一のアサーションに対してより多くの他の実証手続が実施される。
エ．運用評価手続において，内部統制の運用評価手続の実施の計画を考慮に入れる程度が増加する。

1．アイ　2．アウ　3．アエ　4．イウ　5．イエ　6．ウエ

問題 8　試査③

試査に関する次の記述のうち，正しいものの組合せとして最も適切な番号を一つ選びなさい。

ア．取引種類又は勘定残高の合計金額の大きな割合を検討するために母集団から一定金額以上の全ての項目を抽出して監査手続を実施する方法は，監査サンプリングには該当しない。

イ．許容虚偽表示額は，監査サンプリングに，手続実施上の重要性を適用したものであり，監査人は，許容虚偽表示額を手続実施上の重要性と同額に決定することとなる。

ウ．監査人は，抽出したサンプルに対して実施した監査手続から識別した内部統制の逸脱又は虚偽表示の全てについて，その内容と原因を調査することは必ずしも求められない。

エ．監査人は，サンプルについて発見した虚偽表示又は内部統制の逸脱が例外的事象であると考える極めて稀な状況においては，その虚偽表示又は内部統制の逸脱が残りの母集団に影響を及ぼさないという，十分かつ適切な監査証拠を入手するための追加的な監査手続を実施しなければならない。

1．アイ　2．アウ　3．アエ　4．イウ　5．イエ　6．ウエ

□
□
□

問題 9　リスク・アプローチ監査①

リスク評価手続の一環として行われる内部統制の理解に関する次の記述のうち，正しいものの組合せとして最も適切な番号を一つ選びなさい。

ア．監査人は，特別な検討を必要とするリスクに対応する内部統制については，当該リスクに対応する目的に関連する全ての内部統制を識別し理解しなければならない。

イ．デザインが有効でない内部統制について，業務への適用を評価することは，監査上意義がないので，監査人は，統制活動において識別された内部統制については，内部統制のデザインを最初に検討することになる。

ウ．監査人は，経営者が識別していない重要な虚偽表示リスクが企業のリスク評価プロセスにおいて本来識別されなければならないリスクであると判断したときには，内部統制の重要な不備として扱わなければならない。

エ．監査人が統制活動において識別し理解しなければならない内部統制には，非経常的な取引や通例でない取引の仕訳，又は修正仕訳といった非定型的な仕訳を含む，仕訳入力に関する内部統制が含まれる。

1．アイ　2．アウ　3．アエ　4．イウ　5．イエ　6．ウエ

問題 10　リスク・アプローチ監査②

□□□

リスク対応手続に関する次の記述のうち，正しいものの組合せとして最も適切な番号を一つ選びなさい。

ア．リスク対応手続とは，監査リスクを許容可能な低い水準に抑えるために，識別し評価したアサーション・レベルの重要な虚偽表示リスクに対応して，立案し実施する監査手続をいう。

イ．監査人は，運用評価手続を実施することなく実証手続のみを実施する監査アプローチを選択することはあるが，実証手続を実施することなく運用評価手続のみを実施する監査アプローチを選択することは認められない。

ウ．監査人は，リスク評価において内部統制が有効に運用されていないと想定する場合，又は実証手続のみではアサーション・レベルで十分かつ適切な監査証拠が入手できない場合，運用評価手続を実施する。

エ．監査人は，期末日前を基準日として実証手続を実施する場合には，残余期間について，必ず実証手続を実施しなければならず，運用評価手続のみを実施することは認められない。

1．アイ　　2．アウ　　3．アエ　　4．イウ　　5．イエ　　6．ウエ

□
□
□

問題 11　リスク・アプローチ監査③

リスク評価手続及びリスク対応手続に関する次の記述のうち，正しいものの組合せとして最も適切な番号を一つ選びなさい。

ア．評価した重要な虚偽表示リスクが特別な検討を必要とするリスクであるかどうかの決定は，内部統制を考慮する前に，固有リスクのみに着目して行わなければならない。

イ．監査人は，実証手続によって虚偽表示が発見されなかった場合，検証対象となっているアサーションに関連する内部統制が有効であることの監査証拠として利用することができる。

ウ．監査人は，重要な虚偽表示リスクの程度を低いと評価した場合には，重要な取引種類，勘定残高又は注記事項に対する実証手続を立案し実施する必要がないことがある。

エ．監査人は，監査意見の形成において，監査証拠が財務諸表におけるアサーションを裏付けるかどうかにかかわらず全ての関連する監査証拠を考慮しなければならない。

1．アイ　　2．アウ　　3．アエ　　4．イウ　　5．イエ　　6．ウエ

問題 12 リスク・アプローチ監査④

リスク評価手続及びリスク対応手続に関する次の記述のうち，正しいものの組合せとして最も適切な番号を一つ選びなさい。

ア．リスク評価手続から入手される監査証拠は，アサーション・レベルの虚偽表示の発見又は内部統制の運用状況の有効性の評価を裏付ける監査証拠にもなる場合がある。

イ．企業及び企業環境並びに適用される財務報告の枠組みを理解するための監査人のリスク評価手続は，複雑な企業の監査ではより広範囲となる場合があるが，監査人に求められる理解の程度は，経営者の理解の程度よりも低いものとなる。

ウ．運用評価手続の目的と実証手続の目的とは異なるため，監査人は，これらの監査手続を別々に立案し実施しなければならない。

エ．監査人は，特別な検討を必要とするリスクに対して実証手続のみを実施する場合，詳細テスト及び分析的実証手続を実施しなければならない。

1．アイ　2．アウ　3．アエ　4．イウ　5．イエ　6．ウエ

□□□

問題 13　監査上の重要性①

監査の計画及び実施における重要性に関する次の記述のうち，正しいものの組合せとして最も適切な番号を一つ選びなさい。

ア．財務情報の利用者には様々なニーズがあるため，監査人は，重要性の判断においては，ごく限られた特定の利用者にしか影響を及ぼさないであろう事項に関する虚偽表示も考慮しなければならない。
イ．監査人は，未修正の虚偽表示及び未発見の虚偽表示の合計が重要性の基準値を上回る可能性を適切な低い水準に抑えるために，手続実施上の重要性を，重要性の基準値より低い金額として設定しなければならない。
ウ．特定の取引種類，勘定残高又は注記事項に対する重要性の基準値の設定は，当該特定の取引種類，勘定残高又は注記事項に関する虚偽表示が，重要性の基準値を下回る場合でも，財務諸表の利用者が財務諸表に基づいて行う経済的意思決定に影響を与えると合理的に見込まれる場合に限られる。
エ．監査計画の策定時に決定する重要性の基準値は，全ての未修正の虚偽表示が，いかなる場合においても個別に又は集計しても重要性がないと評価できる金額として設定しなければならない。

1．アイ　2．アウ　3．アエ　4．イウ　5．イエ　6．ウエ

問題 14　監査上の重要性②

監査の過程で識別した虚偽表示の評価に関する次の記述のうち，正しいものの組合せとして最も適切な番号を一つ選びなさい。

ア．注記事項に関する虚偽表示は，金額に関する虚偽表示のように合算することはできないため，監査人は，他の虚偽表示と合わせて重要であるかどうかを判断することは求められない。

イ．監査人の要請により，経営者が，取引種類，勘定残高又は注記事項を調査して，発見された虚偽表示を修正した場合においても，監査人は，未発見の虚偽表示があるかどうか判断するため追加的な監査手続を実施しなければならない。

ウ．監査人は，必ずしも監査の過程で集計した全ての虚偽表示について，経営者に報告し，修正するよう求める必要はない。

エ．監査人は，勘定科目等の分類に係る虚偽表示が重要性の基準値を上回っていても，全体としての財務諸表との関連では，重要ではないと判断する場合がある。

1．アイ　　2．アウ　　3．アエ　　4．イウ　　5．イエ　　6．ウエ

□
□
□

問題 15 会計上の見積りの監査①

会計上の見積りの監査に関する次の記述のうち，正しいものの組合せとして最も適切な番号を一つ選びなさい。

ア．会計上の見積りに関する職業的懐疑心の発揮は，会計上の見積りが複雑性，主観性又はその他の固有リスク要因によって影響を受ける程度により異なるものではない。

イ．経営者の偏向が存在する兆候があったとしても，それだけでは虚偽表示とはならないが，監査人は，経営者の偏向が存在する兆候を識別した場合，その内容と監査への影響を監査調書に記載しなければならない。

ウ．監査人は，当年度における重要な虚偽表示リスクの識別と評価に役立てるために，過年度の会計上の見積りの確定額又は該当する場合には再見積額について検討しなければならない。

エ．監査人は，経営者による見積額を評価するために監査人の許容範囲を設定する場合，許容範囲を重要性の基準値と同額か，それより少額となるように設定しなければならない。

1．アイ　2．アウ　3．アエ　4．イウ　5．イエ　6．ウエ

問題 16　会計上の見積りの監査②

会計上の見積りの監査に関する次の記述のうち，正しいものの組合せとして最も適切な番号を一つ選びなさい。

ア．会計上の見積りに経営者の重要な判断が必要な場合や，会計上の見積りを行うプロセスが複雑である場合，リスク評価手続の種類又は時期は，より広範なものとなる。

イ．監査人は，会計上の見積りに関する重要な虚偽表示リスクを評価する際，財務諸表に計上又は注記された会計上の見積りの金額が大きいほど，リスクが高いものと評価しなければならない。

ウ．監査人は，会計上の見積りを行う経営者のプロセスに関連する内部統制が，適切にデザインされていないか，又は適切に業務に適用されていない場合，監査人の見積額又は監査人の許容範囲を設定しなければならない。

エ．監査人は，監査人の許容範囲には十分かつ適切な監査証拠により裏付けられた金額のみを含めなければならないが，監査人の許容範囲内で生じ得るそれぞれの測定結果を裏付ける監査証拠を個別に入手する必要はない。

1．アイ　2．アウ　3．アエ　4．イウ　5．イエ　6．ウエ

□
□
□

問題 17 監査計画

監査計画に関する次の記述のうち，正しいものの組合せとして最も適切な番号を一つ選びなさい。

ア．監査人は，当年度の監査の開始に当たって，監査契約に係る予備的な活動を実施することにより，監査の実施に必要な監査チームメンバーの能力，時期及び人数を明確にしなければならない。
イ．監査人は，詳細な監査計画の作成には，監査手続の種類，時期及び範囲のみならず，監査チームのメンバーへの指揮，監督及び作業の査閲の内容，時期及び範囲を含めなければならない。
ウ．監査人は，予期しない出来事が生じた場合，状況が変化した場合，又は監査手続の実施結果が想定した結果と異なった場合においても，リスク対応手続の種類，時期及び範囲を修正する必要がないこともある。
エ．監査計画の目的及び監査計画に係る活動の内容と範囲は，初年度監査，継続監査のいずれにおいても同じである。

1．アイ　　2．アウ　　3．アエ　　4．イウ　　5．イエ　　6．ウエ

問題 18　情報システムの内部統制

情報システムの内部統制に関する次の記述のうち，正しいものの組合せとして最も適切な番号を一つ選びなさい。

ア．情報システムの内部統制には，ＩＴ全般統制と情報処理統制があるが，統制活動における内部統制の識別と評価において，監査人は情報処理統制に重点を置く。

イ．ＩＴ環境の継続的かつ適切な運用を支援するＩＴ全般統制の有効性は，情報のインテグリティのリスクに直接対応する情報処理統制によって支えられている。

ウ．監査人は，重要な取引種類，勘定残高又は注記事項については，その取引の流れやその他の情報処理活動を定めた企業の方針に関連する全ての情報処理統制を識別し，評価しなければならない。

エ．ＩＴ全般統制は，ＩＴの利用から生じるリスクに対応するために実施されるが，通常，ＩＴ全般統制だけでは，アサーション・レベルの重要な虚偽表示リスクに対応できない。

1．アイ　　2．アウ　　3．アエ　　4．イウ　　5．イエ　　6．ウエ

□
□
□

問題 19　監査調書

監査調書に関する次の記述のうち，正しいものの組合せとして最も適切な番号を一つ選びなさい。

ア．監査人は，公認会計士であれば，以前に当該監査に関与していなくとも実施した監査手続，入手した関連する監査証拠及び監査人が到達した結論を理解できるように監査調書を作成しなければならない。

イ．監査人は，重要な事項に関する結論を形成する過程において，監査人がどのようにその矛盾した情報に対応したかについて文書化する際には，必ずしも修正前の文書を残すことを要しない。

ウ．監査調書には，監査手続書，分析表，重要な事項の要約，確認状や経営者確認書のほか，企業の記録の抜粋又はコピーが含まれることがあるが，監査調書は，企業の会計記録の代用とはならない。

エ．監査ファイルの最終的な整理は，事務的な作業であり，新たな監査手続を実施したり，新たな結論を導き出したりすることを含まないが，監査人は，監査報告書日前に監査ファイルの最終的な整理を完了しなければならない。

1．アイ　　2．アウ　　3．アエ　　4．イウ　　5．イエ　　6．ウエ

問題 20　グループ監査①

グループ監査に関する次の記述のうち，正しいものの組合せとして最も適切な番号を一つ選びなさい。

ア．グループ財務諸表とは，連結プロセスを通じて作成された複数の企業又は事業単位の財務情報を含む財務諸表，すなわち，連結財務諸表を意味し，単一の法人が作成する個別財務諸表はグループ財務諸表に該当しない。

イ．グループ監査人は，グループ財務諸表に対して除外事項付意見を表明する場合には，グループ財務諸表に対する監査報告書において構成単位の監査人に言及することがある。

ウ．グループ監査人は，構成単位の監査人が，グループ監査業務に適用される独立性を含む職業倫理に関する規定を遵守していない場合であっても，その構成単位の監査人を利用できることもある。

エ．構成単位に関連する監査手続の計画及び実施の目的で設定する構成単位の手続実施上の重要性は，構成単位の監査人ではなく，グループ監査人が決定しなければならない。

1．アイ　　2．アウ　　3．アエ　　4．イウ　　5．イエ　　6．ウエ

□□□

問題 21　グループ監査②

グループ監査に関する次の記述のうち，正しいものの組合せとして最も適切な番号を一つ選びなさい。

ア．グループ監査人は，構成単位の監査人が，依頼された作業を実施するかどうかを含め，グループ監査人に協力することを確認するように，構成単位の監査人に対して要請しなければならない。

イ．グループ監査人が決定した構成単位については，重要な虚偽表示リスクが低いと評価された場合には，監査の作業ではなく，レビューの作業を実施することも認められている。

ウ．グループ監査人は，構成単位の手続実施上の重要性の合計がグループ・レベルの手続実施上の重要性と同額か，それより少額となるように構成単位の手続実施上の重要性を決定しなければならない。

エ．グループ監査人が構成単位の監査人とコミュニケーションを行う事項には，構成単位の監査人によって識別された構成単位の財務情報の未修正の虚偽表示のみならず，修正済みの虚偽表示も含めなければならない。

1．アイ　2．アウ　3．アエ　4．イウ　5．イエ　6．ウエ

問題 22　専門家の業務の利用

専門家の業務の利用に関する次の記述のうち，正しいものの組合せとして最も適切な番号を一つ選びなさい。

ア．監査人は，監査人が業務を依頼する外部の専門家を利用する場合には，必要な適性，能力及び客観性を備えているかどうかを評価しなければならないが，監査人の雇用する内部の専門家を利用する場合には，その必要はない。

イ．専門家の業務は，監査及び会計以外の専門知識及び技能に基づき行われるものであるため，専門家の業務に重要な仮定が採用されている場合においても，当該仮定について監査人が評価することは求められない。

ウ．監査人は，除外事項付意見を表明する場合において，除外事項付意見の理由に関連するために，監査報告書において監査人の専門家の業務を利用したことに言及するときは，当該記載が監査意見に対する監査人の責任を軽減しないことを監査報告書において示さなければならない。

エ．監査人は，専門家の業務を利用する場合，当該専門家の業務の内容，範囲及び目的等について合意しなければならないが，当該合意は，書面又は電磁的記録によらないこともある。

1．アイ　　2．アウ　　3．アエ　　4．イウ　　5．イエ　　6．ウエ

□
□
□

問題 23　内部監査人の作業の利用

内部監査人の作業の利用に関する次の記述のうち，正しいものの組合せとして最も適切な番号を一つ選びなさい。

ア．重要な虚偽表示リスクが低い場合を除いて，通常，内部監査人の作業の利用のみでは監査リスクを許容可能な低い水準に抑えることができず，監査人自らが手続を実施する必要がある。

イ．監査人は，内部監査機能が十分な能力を有していない場合であっても，組織上の位置付け並びに関連する方針及び手続により内部監査人の客観性が強く確保されているときには，内部監査人の作業を利用することができる。

ウ．監査人は，監査手続の立案及び実施並びに入手した監査証拠の評価に高度な判断が必要な場合，内部監査人の作業の利用の範囲を縮小し，監査人自ら実施する作業を拡大するよう計画しなければならない。

エ．監査人は，内部監査人の作業の利用を計画している場合，両者の作業の調整を図るため，当該作業の利用の計画について内部監査人と協議することがあるが，その義務はない。

1．アイ　　2．アウ　　3．アエ　　4．イウ　　5．イエ　　6．ウエ

問題 24 経営者確認書

経営者確認書に関する次の記述のうち，正しいものの組合せとして最も適切な番号を一つ選びなさい。

ア．監査人が経営者確認書への記載を要請した事項に経営者が変更を加えている場合，監査人は，要請した事項の確認が得られなかったものと扱わなければならない。

イ．監査人は，経営者確認書を入手できたとしても，経営者の責任に関する確認事項に信頼性がないと判断した場合，財務諸表に対する意見を表明してはならない。

ウ．監査人は，監査報告書日までに発生した財務諸表の修正又は財務諸表での開示を要する可能性のある事象を考慮するため，経営者確認書の日付は，通常，監査報告書の日付とする。

エ．監査人は，比較情報が対応数値の場合も比較財務諸表の場合も，当年度のみならず，過年度の財務諸表についても経営者確認書に記載することを要請する必要がある。

1．アイ　2．アウ　3．アエ　4．イウ　5．イエ　6．ウエ

□
□
□

問題 25　監査報告書の記載事項①

監査報告書に関する次の記述のうち，正しいものの組合せとして最も適切な番号を一つ選びなさい。

ア．経営者及び監査役等の責任の区分においては，経営者及び監査役等には，財務諸表の作成責任があることが記載される。

イ．無限定適正意見を表明する場合，我が国において一般に公正妥当と認められる監査の基準に準拠して監査を実施した旨は，監査人の責任の区分ではなく，意見の根拠の区分に記載される。

ウ．監査人の責任の区分の記載内容については，その全部を監査報告書の本文に含める必要はなく，その一部については，監査報告書の別紙に含めることが認められている。

エ．監査人は，財務諸表監査に併せて，内部統制の有効性に対して意見を表明している場合には，監査人の責任の区分に，財務諸表監査の目的は内部統制の有効性について意見表明するものではないことについて記載しない。

1．アイ　　2．アウ　　3．アエ　　4．イウ　　5．イエ　　6．ウエ

問題 26　監査報告書の記載事項②

□
□
□

監査報告書に関する次の記述のうち，正しいものの組合せとして最も適切な番号を一つ選びなさい。

ア．監査報告書上，経営者の責任に関する事項としては，内部統制の整備及び運用に対する責任に加えて，会計帳簿と会計記録，又は会計システムの妥当性に対する責任が記載される。

イ．監査報告書には，我が国において一般に公正妥当と認められる監査の基準に準拠して監査を実施した旨が記載されるが，我が国における職業倫理に関する規定は，監査の基準に含まれるため，これに従ったことは記載されない。

ウ．無限定意見を表明する場合に監査意見の根拠の区分に記載される事項はいずれも，意見を表明しない場合の意見不表明の根拠の区分には記載されないことになる。

エ．監査報告書の監査人の責任の区分の記載内容は，全ての監査において同一となるわけではなく，グループ監査である場合や上場企業の財務諸表の監査である場合に限って記載されるものがある。

1．アイ　　2．アウ　　3．アエ　　4．イウ　　5．イエ　　6．ウエ

□
□
□

問題 27 監査報告書の記載事項③

監査報告書に関する次の記述のうち，正しいものの組合せとして最も適切な番号を一つ選びなさい。

ア．監査報告書には，契約内容に応じた宛先を記載しなければならず，我が国の場合，通常，取締役会となるが，「監査役会」や「代表取締役」等，他の宛先とすることもできる。

イ．監査報告書には，国によって，監査事務所名，監査人の個人名又はその両方のいずれかの署名がなされ，監査報告書に監査責任者の氏名を含めることは必ずしも求められない。

ウ．監査報告書には，監査事務所の所在地を記載しなければならず，我が国の場合，例えば，監査責任者が執務する事業所の都市名又は登記されている事業所名を記載する。

エ．監査報告書には，監査人が，財務諸表に対する意見表明の基礎となる十分かつ適切な監査証拠を入手した日以降の日付が付されることになり，当該日付は，企業に監査報告書を提出する日と同一となる。

1．アイ　2．アウ　3．アエ　4．イウ　5．イエ　6．ウエ

問題 28　監査報告①

□
□
□

監査報告に関する次の記述のうち，正しいものの組合せとして最も適切な番号を一つ選びなさい。

ア．監査人は，適用される財務報告の枠組みが適正表示の枠組みである場合，財務諸表の全体的な表示，構成及び内容，並びに，財務諸表が基礎となる取引や会計事象を適正に表しているかどうかを評価しなければならない。

イ．適用される財務報告の枠組みの種類にかかわらず，適用される財務報告の枠組みにおいて要求される事項に準拠して財務諸表が作成されている場合には，除外事項付意見が表明されることはない。

ウ．監査人は，全体としての財務諸表に重要な虚偽表示があると判断する場合又は全体としての財務諸表に重要な虚偽表示がないと判断するための十分かつ適切な監査証拠を入手できない場合，限定意見を表明することがある。

エ．監査人は，経営者による監査範囲の制約を取り除くことを経営者が拒否し，かつ代替手続によっても十分かつ適切な監査証拠を入手できない場合，意見不表明の監査報告書を発行しなければならない。

1．アイ　　2．アウ　　3．アエ　　4．イウ　　5．イエ　　6．ウエ

□□□

問題 29　監査報告②

監査報告に関する次の記述のうち，正しいものの組合せとして最も適切な番号を一つ選びなさい。

ア．監査人は，書面による監査証明に代えて，被監査会社の承諾を得て，電磁的記録により監査証明を行う場合，監査報告書の署名は，自署に代えて，電子署名によることになる。
イ．監査人は，財務諸表に開示することが必要な情報が開示されていない場合，監査報告書の意見の根拠の区分に，どのような情報が開示されていないか記載しなければならないが，開示されていない情報を記載してはならない。
ウ．監査人は，除外事項を付した限定意見を表明する場合には，除外事項付意見の根拠の区分に，除外事項が財務諸表に及ぼす又は及ぼす可能性のある影響を踏まえて除外事項を付した限定意見とした理由を記載しなければならない。
エ．監査人は，否定的意見を表明する，又は意見不表明とする場合，その原因となる事項以外に除外事項付意見の表明が必要となる事項を識別しているときであっても，当該事項を記載してはならない。

1．アイ　　2．アウ　　3．アエ　　4．イウ　　5．イエ　　6．ウエ

問題 30　追記情報①

□□□

追記情報に関する次の記述のうち，正しいものの組合せとして最も適切な番号を一つ選びなさい。

ア．「強調事項」区分を設けることは，除外事項付意見の表明に代替するものではないため，監査人は，除外事項付意見を表明する場合の監査報告書に「強調事項」区分を設けてはならない。

イ．「強調事項」区分を設ける場合，その見出しには「強調事項」という用語を含めなければならないが，「その他の事項」区分を設ける場合，その見出しに「その他の事項」という用語を含めることは必ずしも求められない。

ウ．「その他の事項」区分は，監査，監査人の責任又は監査報告書についての利用者の理解に関連する事項を説明するために設けられる区分であり，監査上の主要な検討事項は，「その他の事項」区分を設けて記載される。

エ．監査人は，一般目的の財務諸表が特定の目的に利用される場合には，「その他の事項」区分を設け，監査報告書は特定の利用者のみを対象としており，特定の利用者以外に配布又は利用されてはならない旨を記載することがある。

1．アイ　2．アウ　3．アエ　4．イウ　5．イエ　6．ウエ

□
□
□

問題 31　追記情報②

追記情報に関する次の記述のうち，正しいものの組合せとして最も適切な番号を一つ選びなさい。

ア．強調事項の記載箇所は，監査人の判断によって決定され，監査上の主要な検討事項が記載される場合，監査人は，強調事項を監査上の主要な検討事項の後に記載することもあれば，前に記載することもある。

イ．監査報告書の末尾には，公認会計士法の規定に基づき被監査会社等と利害関係を有するか否かが記載されるが，当該記載は，監査人の独立性を強調するためのものであるため，強調事項に当たる。

ウ．監査人は，強調事項を記載する場合には，当該記載が監査人の意見に影響を及ぼすものではないことを記載しなければならないが，その他の事項を記載する場合には，そのような記載を行うことは求められない。

エ．強調事項及びその他の事項は，財務諸表に対する意見とは別に，監査人からの情報として記載されるものであるため，その文言について監査役等とコミュニケーションを行うことは求められない。

1．アイ　　2．アウ　　3．アエ　　4．イウ　　5．イエ　　6．ウエ

問題 32　監査報告上の判断①

□
□
□

監査報告に関する次の記述のうち，正しいものの組合せとして最も適切な番号を一つ選びなさい。

ア．監査人は，違法行為が財務諸表に重要な影響を及ぼし，かつ財務諸表に適切に反映されていないと判断した場合，限定付適正意見を表明するか，又は意見を表明してはならない。

イ．監査人は，継続企業の前提に関する評価の実施又は評価期間の延長を求めたにもかかわらず，経営者がこれを行わない場合には，意見を表明しないことがある。

ウ．監査人は，監査人が経営者確認書による確認を要請した事項について経営者から確認を得られない場合，それが確認を要請した事項の一部であれば意見を表明できることがあるが，全部であれば意見を表明できることはない。

エ．監査人は，前年度の財務諸表が監査されていない場合，当年度の財務諸表に重要な影響を及ぼす虚偽表示が期首残高に含まれていないという十分かつ適切な監査証拠を入手できないため，意見を表明してはならない。

1．アイ　　2．アウ　　3．アエ　　4．イウ　　5．イエ　　6．ウエ

□□□

問題 33　監査報告上の判断②

次の監査報告書上の対応のうち，正しいものの組合せとして最も適切な番号を一つ選びなさい。

ア．会社が導入した新しい売掛金システムにより売掛金の多数の誤謬が生じ，監査報告書日現在においても誤謬を修正している過程にあり，売掛金残高を他の方法によって検証できなかったため，不適正意見を表明した。

イ．会社は債務超過の状況にあり，当該状況は継続企業の前提に重要な疑義を生じさせているが，当該状況に関して経営者が評価及び対応策を示さなかったため，意見を表明しないものとした。

ウ．会社は損害賠償請求訴訟の被告となっているが，当該訴訟の最終的な結論は現在のところ得られていないため，当該訴訟による負担金額が計上されていない財務諸表について無限定適正意見を表明し，強調事項を記載した。

エ．会社は固定資産の減価償却方法を変更しており，その理由は正当な理由によるものと認められるが，財務諸表に及ぼす影響が重要であることから，無限定適正意見を表明し，当該変更に関する注記をその他の事項として記載した。

1．アイ　　2．アウ　　3．アエ　　4．イウ　　5．イエ　　6．ウエ

問題 34　財務諸表監査における不正①

財務諸表監査における不正に関する次の記述のうち，正しいものの組合せとして最も適切な番号を一つ選びなさい。

ア．監査人が不正を発見できないリスクの程度は，誤謬を発見できないリスクの程度よりも高い。また，監査人が経営者不正を発見できないリスクの程度は，従業員不正を発見できないリスクの程度よりも高い。
イ．監査人は，記録や証憑書類の真正性に疑いを抱く理由がある場合を除いて，通常，記録や証憑書類を真正なものとして受け入れることができるが，記録や証憑書類が真正ではないと疑われる場合，更に調査しなければならない。
ウ．監査人は，経営者，取締役等及び監査役等の信頼性と誠実性に関する監査人の過去の経験次第では，不正による重要な虚偽表示が行われる可能性に留意する必要がないことがある。
エ．重要な虚偽表示の原因となる不正を防止し発見する基本的な責任は経営者にあり，取締役会や監査役若しくは監査役会，監査等委員会又は監査委員会は責任を負っていない。

1．アイ　2．アウ　3．アエ　4．イウ　5．イエ　6．ウエ

□
□
□

問題 35　財務諸表監査における不正②

財務諸表監査における不正に関する次の記述のうち，正しいものの組合せとして最も適切な番号を一つ選びなさい。

ア．収益認識に関連する不正な財務報告による重要な虚偽表示は，多くの場合，収益の過大計上によることから，監査人は，収益認識には不正リスクがあるという推定を必ず適用しなければならない。

イ．監査人は，財務諸表全体レベルの不正による重要な虚偽表示リスクが識別された場合には，実施する監査手続の種類，時期及び範囲の選択に当たって，企業が想定しない要素を必ず組み込まなければならない。

ウ．監査人は，不正による重要な虚偽表示の兆候を示す状況を識別した場合には，リスク評価が依然として適切であるかどうかを判断しなければならないが，当該判断は，主に質的な側面を検討することにより行われる。

エ．監査人は，経営者による内部統制を無効化するリスクを低いと評価した場合を除き，経営者による内部統制の無効化に関係したリスク対応手続を実施しなければならない。

1. アイ　　2. アウ　　3. アエ　　4. イウ　　5. イエ　　6. ウエ

問題 36　不正リスク対応基準①

□
□
□

監査における不正リスク対応基準（以下「不正リスク対応基準」という。）に関する次の記述のうち，正しいものの組合せとして最も適切な番号を一つ選びなさい。

ア．金融商品取引法監査であっても，非上場企業のうち資本金５億円未満又は売上高10億円未満かつ負債総額200億円未満の企業の監査については，不正リスク対応基準は適用されない。
イ．不正リスク対応基準は，職業的懐疑心の考え方について，これまでの監査基準で採られている，監査を行うに際し，経営者が誠実であるとも不誠実であるとも想定しないという中立的な観点を変更し，経営者が不誠実であることに推定的な疑いをもつことを求めている。
ウ．不正リスク対応基準は，いわゆる循環取引のように被監査企業と取引先企業の通謀が疑われる場合に取引先企業の監査人と連携することを監査人に義務付けている。
エ．不正リスク対応基準は，年度の財務諸表の監査に適用されるほか，基準上不正に関する実証手続が定められている中間監査にも準用されるが，期中レビューには適用されない。

1．アイ　　2．アウ　　3．アエ　　4．イウ　　5．イエ　　6．ウエ

□
□
□

問題 37　不正リスク対応基準②

監査における不正リスク対応基準（以下「不正リスク対応基準」という。）に準拠した監査実務上の対応に関する次の記述のうち，正しいものの組合せとして最も適切な番号を一つ選びなさい。

ア．不正による重要な虚偽表示の兆候を示す状況とは，不正による重要な虚偽表示を示唆する状況のうち，不正による重要な虚偽表示が行われている可能性がより高いものをいう。

イ．監査人は，不正リスク対応基準が適用される監査業務であるかどうかにかかわらず，重要な虚偽表示リスクを識別し評価する際には，識別した不正リスク要因を考慮しなければならない。

ウ．監査人は，不正による重要な虚偽表示を示唆する状況を識別したが，不正による重要な虚偽表示の疑義に該当しないと判断した場合には，その旨と理由を監査調書に記載しなければならない。

エ．監査人は，不正リスクに対応する手続として積極的確認を実施したが未回答の場合において，十分かつ適切な監査証拠を入手するための代替的な監査手続を実施するときには，企業又は当該企業の子会社等が作成した情報のみを利用してはならない。

1．アイ　　2．アウ　　3．アエ　　4．イウ　　5．イエ　　6．ウエ

問題 38　不正リスク対応基準③

監査における不正リスク対応基準(以下「不正リスク対応基準」)に準拠した監査実務上の対応に関する次の記述のうち，正しいものの組合せとして最も適切な番号を一つ選びなさい。

ア．監査人は，不正による重要な虚偽表示を示唆する状況を識別していない場合であっても，不正による重要な虚偽表示の疑義があるとして想定される不正の態様等に直接対応した監査手続を実施しなければならないときがある。

イ．監査人は，不正による重要な虚偽表示の疑義があると判断した場合には，当該疑義に関連した記述を経営者確認書に含めることを経営者に要請しなければならない。

ウ．監査人は，不正による重要な虚偽表示を示唆する状況を識別した場合，追加的な監査手続を実施したうえで経営者に質問し説明を求めることもあれば，経営者に質問し説明を求めたうえで追加的な監査手続を実施することもある。

エ．監査責任者は，不正による重要な虚偽表示を示唆する状況が識別されたとしても，不正による重要な虚偽表示の疑義があると判断しなかったときは，監査チームが必要に応じ専門的な見解の問合せを適切に実施する責任を負わない。

1．アイ　　2．アウ　　3．アエ　　4．イウ　　5．イエ　　6．ウエ

□□□

問題 39　財務諸表監査における法令の検討

財務諸表監査における法令の検討に関する次の記述のうち，正しいものの組合せとして最も適切な番号を一つ選びなさい。

ア．監査人は，その他の法令への違反の識別に資するための監査手続として，関連する許認可等を行う規制当局とのやりとりを示した文書がある場合には，それを閲覧しなければならない。

イ．監査人は，その違反によって必要となる費用を財務諸表に計上又は開示することが必要となるような法令については，財務諸表に直接的に関連しないとしても，その遵守について十分かつ適切な監査証拠を入手しなければならない。

ウ．監査人は，監査の実施過程で気付いた違法行為又はその疑いに関連する事項を全て監査役若しくは監査役会，監査等委員会又は監査委員会に報告しなければならない。

エ．監査人は，企業が法令を遵守していることを裏付ける十分な情報を経営者からも監査役等を通じても入手できず，違法行為が財務諸表に重要な影響を及ぼす可能性があると判断した場合には，法律専門家に助言を求めることがある。

1．アイ　　2．アウ　　3．アエ　　4．イウ　　5．イエ　　6．ウエ

問題 40　継続企業①

□
□
□

継続企業の前提に関する次の記述のうち，正しいものの組合せとして最も適切な番号を一つ選びなさい。

ア．財務諸表が継続企業を前提していることは，財務諸表利用者が財務諸表を理解する基礎としての重要性を有するため，財務諸表が継続企業を前提として作成されている場合，その旨が財務諸表に記載されている必要がある。

イ．監査人は，継続企業の前提に関して経営者が行った評価の検討に当たっては，適用される財務報告の枠組み又は法令で経営者に要求される期間と同じ期間を対象としなければならない。

ウ．監査人は，継続企業の前提に重要な疑義を生じさせるような事象又は状況が存在する場合，重要な不確実性が認められないときであっても，経営者確認書において継続企業の前提に係る事項の確認を求めなければならない。

エ．監査人の責任は財務諸表に対して表明する意見に限定されるため，継続企業の前提に重要な疑義を生じさせるような事象又は状況が財務諸表以外の箇所において開示されているとしても，当該開示に対して何ら責任を負わない。

1．アイ　　2．アウ　　3．アエ　　4．イウ　　5．イエ　　6．ウエ

□
□
□

問題 41　継続企業②

継続企業の前提に関する次の記述のうち，正しいものの組合せとして最も適切な番号を一つ選びなさい。

ア．一般目的の財務諸表は，経営者に当該企業の清算若しくは事業停止の意図があるか，又はそれ以外に現実的な代替案がない場合を除いて，継続企業の前提に基づき作成される。
イ．監査人の責任は，企業の事業能力そのものを認定し，企業の存続を保証することにはないため，経営者が継続企業を前提として財務諸表を作成することの適切性について十分かつ適切な監査証拠を入手する責任もない。
ウ．監査人は，期末日の翌日から少なくとも12か月間の経営者の評価期間を超えて継続企業の前提に重要な疑義を生じさせるような事象又は状況を識別するための監査手続を実施する必要はない。
エ．監査人は,「継続企業の前提に関する重要な不確実性」区分には，少なくとも，継続企業の前提に関する重要な不確実性が認められる旨及び当該事項は監査人の意見に影響を及ぼすものではない旨を記載しなければならない。

1．アイ　　2．アウ　　3．アエ　　4．イウ　　5．イエ　　6．ウエ

問題 42　継続企業③

□
□
□

継続企業の前提に関する次の記述のうち，正しいものの組合せとして最も適切な番号を一つ選びなさい。

ア．監査人は，継続企業の前提に重要な疑義を生じさせるような事象又は状況を識別していない場合には，継続企業の前提に基づき財務諸表を作成することが適切であるかどうかに関して経営者が行った評価を検討することは必ずしも求められない。

イ．監査人は，継続企業の前提に重要な疑義を生じさせるような事象又は状況を識別している場合において，継続企業の前提に関する事項が財務諸表に注記されていないときには，意見に関する除外事項を付した限定付適正意見又は不適正意見を表明しなければならない。

ウ．監査人は，継続企業を前提として財務諸表を作成することが適切でないと判断した場合，継続企業の前提に基づき財務諸表を作成することが不適切である旨が財務諸表に注記されているとしても，継続企業を前提として作成された財務諸表に対しては，不適正意見を表明しなければならない。

エ．監査人は，期末日後，経営者による財務諸表の確定が著しく遅延している場合において，当該遅延が継続企業の前提に関する事象又は状況と関係する可能性があると考えるときには，追加的な監査手続を実施し，重要な不確実性の存在に関する監査人の結論への影響を考慮しなければならない。

1．アイ　　2．アウ　　3．アエ　　4．イウ　　5．イエ　　6．ウエ

□
□
□

問題 43　監査役等とのコミュニケーション①

監査役等とのコミュニケーションに関する次の記述のうち，正しいものの組合せとして最も適切な番号を一つ選びなさい。

ア．監査人は，監査事務所の方針及び手続に従い，独立性に関して監査役等とコミュニケーションを行うことが要求されているが，監査役等の全員が関連する事実を知っていることが明らかな場合には，独立性に関するコミュニケーションを行わないことがある。

イ．監査人は，公認会計士法上の大会社等の監査の場合は，監査事務所の品質管理システムの整備・運用状況の概要を監査役等に書面又は電磁的記録で伝達しなければならないが，これに監査事務所の品質管理システムの外部のレビュー又は検査の結果を含めることは必ずしも求められない。

ウ．監査人は，監査の過程で発見され，監査人が，職業的専門家としての判断において財務報告プロセスに対する監査役等による監視にとって重要と判断した事項については，適時に監査役等と書面又は電磁的記録によりコミュニケーションを行わなければならない。

エ．監査人は，監査役等との間の双方向のコミュニケーションが，監査の目的に照らして適切に実施されたかどうかを評価しなければならない。双方向のコミュニケーションが十分でなく，その状況を解消できない場合には，監査報告書において監査範囲の制約に関する除外事項を付すことがある。

1．アイ　　2．アウ　　3．アエ　　4．イウ　　5．イエ　　6．ウエ

問題 44 監査役等とのコミュニケーション②

□
□
□

監査役等とのコミュニケーションに関する次の記述のうち，正しいものの組合せとして最も適切な番号を一つ選びなさい。

ア．監査人が，監査報告書の様式及び内容に影響を及ぼす状況について監査役等とコミュニケーションを行うのは，監査報告書において除外事項付意見を表明することが見込まれている場合に限られない。

イ．監査人は，金融庁による懲戒処分若しくは指示，日本公認会計士協会による懲戒処分又は公認会計士・監査審査会の勧告を受けた場合には，遅滞なく監査役等に伝達する。

ウ．財務諸表監査に関連する監査人の責任についての監査役等とのコミュニケーションには，財務諸表監査は，経営者又は監査役等の責任を代替するものであることを含めなければならない。

エ．監査人は，経営者確認書の草案については，監査基準報告書で要求されている事項以外に記載することが適切であると判断した確認事項がなければ，監査役等とコミュニケーションを行う必要はない。

1．アイ　　2．アウ　　3．アエ　　4．イウ　　5．イエ　　6．ウエ

問題 45　監査上の主要な検討事項①

監査上の主要な検討事項に関する次の記述のうち，正しいものの組合せとして最も適切な番号を一つ選びなさい。

ア．監査上の主要な検討事項の報告は，除外事項付意見を表明しなければならない状況における除外事項付意見の表明の代替とならないが，継続企業の前提に関する重要な不確実性に関する報告の代替となることがある。

イ．監査上の主要な検討事項は，当年度の財務諸表の監査において，監査人が職業的専門家として特に重要であると判断した事項であるため，財務諸表に明記されない事項が監査上の主要な検討事項として報告されることもある。

ウ．監査人は，企業及び監査に関する事実及び状況を踏まえて，報告すべき監査上の主要な検討事項がない場合には，監査報告書に「監査上の主要な検討事項」の見出しを付した区分を設けない。

エ．連結財務諸表及び個別財務諸表の監査を実施しており，連結財務諸表の監査報告書において同一内容の監査上の主要な検討事項が記載されている場合には，個別財務諸表の監査報告書においてその旨を記載し，当該内容の記載を省略することができる。

1．アイ　　2．アウ　　3．アエ　　4．イウ　　5．イエ　　6．ウエ

問題 46　監査上の主要な検討事項②

□
□
□

監査上の主要な検討事項に関する次の記述のうち，正しいものの組合せとして最も適切な番号を一つ選びなさい。

ア．監査人は，前年度の監査上の主要な検討事項の内容を当年度の監査報告書において更新する必要はないが，前年度の監査上の主要な検討事項が，当年度の監査報告書においても引き続き監査上の主要な検討事項であることもある。

イ．除外事項付意見を表明する原因となる事項又は継続企業の前提に関する重要な不確実性は，その性質上，監査上の主要な検討事項に該当するが，監査人はこれらの事項を「監査上の主要な検討事項」区分に記載してはならない。

ウ．監査人は，企業に関する未公表の情報を監査上の主要な検討事項に含める必要があると判断した場合において，経営者が追加の情報開示に応じなかったときは，守秘義務があるため，当該情報を含めることはできない。

エ．監査人は，「監査上の主要な検討事項」区分には，監査における監査人の対応として，実施した手続の簡潔な概要を記載しなければならない。

1．アイ　2．アウ　3．アエ　4．イウ　5．イエ　6．ウエ

問題 47　監査事務所における品質管理①

監査の品質管理に関する次の記述のうち，正しいものの組合せとして最も適切な番号を一つ選びなさい。

ア．監査事務所の最高責任者以外の者が品質管理システムに関する最高責任者となった場合，品質管理システムに関する説明責任を含む最終的な責任は，当該監査事務所の最高責任者以外の者が負う。

イ．品質管理システムに関する最高責任者は，品質管理システムの整備及び運用に関する責任者，独立性に係る要求事項の遵守並びにモニタリング及び改善プロセスに関する責任者を兼ねてもよい。

ウ．監査事務所は，品質管理基準報告書に規定された品質目標を設定すれば，品質目標の設定に関する要求事項を満たしたことになり，自ら独自に品質目標を追加して設定する必要はない。

エ．監査事務所は，独立性の保持が要求される全ての専門職員から，独立性の保持のための方針又は手続の遵守に関する確認書を，少なくとも年に一度入手しなければならない。

1．アイ　　2．アウ　　3．アエ　　4．イウ　　5．イエ　　6．ウエ

問題 48　監査事務所における品質管理②

□
□
□

監査の品質管理に関する次の記述のうち，正しいものの組合せとして最も適切な番号を一つ選びなさい。

ア．職業的専門家としての基準及び適用される法令等に従って監査業務が実施されなかったことに関する不服と疑義の申立ては，関与先や構成単位の監査人など，監査事務所の外部の者により行われることもある。
イ．監査事務所は，契約の新規の締結に当たり，関与先の誠実性に関する判断を裏付けるために，金融機関，法律専門家，関与先の同業他社等の第三者との討議から情報を入手することがある。
ウ．監査事務所は，会社法監査のうち，監査報告の対象となる財務諸表の社会的影響が小さく，かつ，監査報告の利用者が限定されている監査業務については審査を要しないとすることができる。
エ．完了した監査業務の検証を当該監査業務を担当した監査チームのメンバーが実施することは禁じられるが，当該監査業務の審査担当者が実施することは禁じられない。

1．アイ　　2．アウ　　3．アエ　　4．イウ　　5．イエ　　6．ウエ

□
□
□

問題 49　監査業務における品質管理①

監査の品質管理に関する次の記述のうち，正しいものの組合せとして最も適切な番号を一つ選びなさい。

ア．監査責任者は，監査報告書日以前に，到達した結論と監査意見を裏付けるために十分かつ適切な監査証拠が入手されたかを判断するために，全ての監査調書を査閲しなければならない。

イ．監査責任者は，監査業務の全過程を通じて，必要に応じて質問等を行うことにより，監査チームのメンバーが職業倫理に関する規定，監査事務所の関連する方針又は手続に違反していないかについて注意を払わなければならない。

ウ．監査責任者は，審査を実施しない監査業務に関して，監査意見が適切に形成されていることを確認できる他の方法が，監査事務所の方針又は手続に従って適切に行われていることを確かめなければならない。

エ．監査責任者は，不正リスク対応基準が適用となる監査業務以外の監査業務であれば，実施した引継の状況について監査事務所の適切な部署又は者に報告されていることを確かめることは必ずしも求められない。

1．アイ　　2．アウ　　3．アエ　　4．イウ　　5．イエ　　6．ウエ

□
□
□

問題 50 監査業務における品質管理②

監査の品質管理に関する次の記述のうち，正しいものの組合せとして最も適切な番号を一つ選びなさい。

ア．監査責任者は，我が国における職業倫理に関する規定が遵守されていないことに気付いたときには，適切な措置として，規制当局又は専門家団体とコミュニケーションを行うことや監査契約を解除することがある。

イ．監査責任者は，監査契約の新規の締結又は更新の前に認識していれば契約の締結を辞退する原因となるような情報に気付いた場合，監査事務所に当該情報を速やかに報告するとともに，監査契約を解除しなければならない。

ウ．監査責任者は，監査チームのメンバー及び監査人が利用する外部の専門家が，全体として監査業務を実施するための十分な時間を含む，適性及び適切な能力を有しているかを判断しなければならない。

エ．監査事務所が定めた品質管理システムに不備が識別された場合，個々の監査業務が職業的専門家としての基準及び適用される法令等を遵守して実施されなかったことを示すことになる。

1．アイ　2．アウ　3．アエ　4．イウ　5．イエ　6．ウエ

□□□

問題 51　監査業務に係る審査

監査業務に係る審査に関する次の記述のうち，正しいものの組合せとして最も適切な番号を一つ選びなさい。

ア．公認会計士法上の大会社等である場合，連続して担当する期間があわせて7会計期間を超えないのであれば，監査責任者が翌会計期間に監査チームを外れて審査担当者に就任することに問題はない。

イ．審査担当者は，審査担当者の適格性が損なわれる状況を識別した場合において，審査が開始されていないときには審査担当者への選任を辞退し，審査が既に開始されているときには審査の実施を中止しなければならない。

ウ．審査は，意見が適切に形成されていることを確かめるために行われるものであるため，審査担当者が監査報告書について検討する対象には，監査上の主要な検討事項の記述は含まれない。

エ．審査を合議制により実施する場合，会議体の構成員が従事している監査業務に係る審査においては，当該構成員は審査に加わってはならないが，案件の説明を行うことは認められる。

1．アイ　　2．アウ　　3．アエ　　4．イウ　　5．イエ　　6．ウエ

問題 52　監査人の交代

監査人の交代に関する次の記述のうち，正しいものの組合せとして最も適切な番号を一つ選びなさい。

ア．監査人予定者は，監査契約の締結前に守秘義務についての確認書を会社と取り交わすが，これとは別に，前任監査人と「監査調書の閲覧に伴う守秘義務に関する承諾書」を取り交わさなければならない。

イ．監査人予定者は，監査業務の引継において前任監査人から提供された情報について守秘義務を負うが，当該守秘義務は，監査契約を締結しない場合においてまで将来にわたり存続するものではない。

ウ．監査人予定者は，監査人の交代に際して，基本原則の遵守の阻害要因の重要性の程度を許容可能な水準まで軽減できないと判断した場合においても，監査契約を締結できることがある。

エ．前任監査人は，監査意見に影響を及ぼした，又は監査意見に影響を及ぼす可能性のある財務諸表における重要な虚偽表示に関わる情報又は状況を把握していた場合には，後任監査人に，それらを伝達しなければならない。

1．アイ　　2．アウ　　3．アエ　　4．イウ　　5．イエ　　6．ウエ

□
□
□

問題 53　監査業務の契約条件の合意

監査業務の契約条件の合意に関する次の記述のうち，正しいものの組合せとして最も適切な番号を一つ選びなさい。

ア．認知されている会計基準設定主体が設定する財務報告の基準は，当該設定主体が，確立された透明性のあるプロセスに従っているのであれば，企業が作成する一般目的の財務諸表のために受入可能なものであると推定される。

イ．監査契約書には，監査業務の契約条件の合意された内容として，財務諸表監査の目的及び範囲や監査人の責任，監査報告書の想定される様式及び内容などが記載されるが，経営者の責任は記載されない。

ウ．法令により監査上の主要な検討事項の報告が要求されていない場合において，当初の監査業務の契約条件の合意後に，監査人と経営者が任意に当該事項を報告することに合意したときは，監査業務の契約条件の変更に当たる。

エ．監査人は，経営者が財務諸表の作成に関連すると認識している記録や証憑書類等の全ての情報を提供する責任を認識し理解していることについて経営者の合意が得られないとしても，監査契約を新規に締結又は更新できることがある。

1．アイ　　2．アウ　　3．アエ　　4．イウ　　5．イエ　　6．ウエ

問題 54　後発事象

□
□
□

後発事象に関する次の記述のうち，正しいものの組合せとして最も適切な番号を一つ選びなさい。

ア．監査報告書日は，当該時点までに監査人が知り得た事項に基づき監査報告が行われていることを明らかにするものであり，監査人は，監査報告書日後に，財務諸表に関していかなる監査手続を実施する義務も負わない。

イ．監査人は，財務諸表の修正又は財務諸表における開示が要求される事象が期末日後に発生した場合には，後発事象の網羅性に関する記載を経営者確認書に含めることを経営者に要請しなければならない。

ウ．監査人は，後発事象の網羅性に適合する監査証拠を入手するため，期末日後に開催された取締役会，監査役会及び株主総会の議事録，期末日後に申請・決裁された稟議書を閲覧しなければならない。

エ．監査人は，監査報告書日後に財務諸表の修正又は財務諸表における開示が必要であると判断する事象が生じた場合には，不適正意見を表明する監査報告書を提出することもある。

1．アイ　　2．アウ　　3．アエ　　4．イウ　　5．イエ　　6．ウエ

□
□
□

問題 55 比較情報

対応数値方式による比較情報の監査に関する次の記述のうち，正しいものの組合せとして最も適切な番号を一つ選びなさい。

ア．当年度の財務諸表には，当年度の金額及び注記事項のみならず，前年度の金額及び注記事項が含まれるため，監査人は，当年度のみならず前年度の財務諸表についても経営者確認書に記載するよう経営者に要請しなければならない。
イ．以前に発行した前年度の監査報告書において除外事項付意見が表明されており，かつその原因となった事項が未解消の場合，監査人は，当年度の財務諸表に対して除外事項付意見を表明しなければならない。
ウ．前年度の財務諸表を前任監査人が監査している場合であっても，監査人は，監査報告書において前任監査人が対応数値を監査している旨及びその意見を記載しないことがある。
エ．前年度の財務諸表が監査されていない場合，監査人は，監査報告書の強調事項区分に，対応数値が監査されていない旨を記載しなければならない。

1．アイ　　2．アウ　　3．アエ　　4．イウ　　5．イエ　　6．ウエ

問題 56　その他の記載内容

その他の記載内容（監査した財務諸表を含む開示書類のうち当該財務諸表と監査報告書とを除いた部分の記載内容）に関する次の記述のうち，正しいものの組合せとして最も適切な番号を一つ選びなさい。

ア．監査人が通読しなければならないのは，その他の記載内容のうち，財務諸表又は監査人が監査の過程で得た知識に関連するものに限られ，それ以外の記載内容について注意を払うことは求められない。

イ．監査人は，その他の記載内容の一部又は全部を入手していない場合であっても，監査報告書の日付を決定し，又は監査報告書を発行することができる。

ウ．監査人は，その他の記載内容に関して，その範囲，経営者及び監査役等の責任，監査人の責任及びその他の記載内容に対して表明した意見を監査報告書に記載しなければならない。

エ．監査人が財務諸表に対する意見を表明しない場合，「その他の記載内容」区分を設けてその他の記載内容に関する事項を記載することは禁じられるが，否定的意見を表明する場合には禁じられない。

1．アイ　　2．アウ　　3．アエ　　4．イウ　　5．イエ　　6．ウエ

問題 57　期中レビュー①

期中レビューに関する次の記述のうち，正しいものの組合せとして最も適切な番号を一つ選びなさい。

ア．期中レビューでは，実証手続の実施は求められていないため，監査人は，期中レビュー計画の策定に当たり，年度の財務諸表の監査におけるように重要な虚偽表示のリスクを考慮することも求められない。

イ．期中レビューにおいても，監査人は，財務諸表において修正又は開示すべき後発事象について検討するとともに，事後判明事実を知るところとなった場合には，必要な手続等を実施することになる。

ウ．監査人は，期中レビューにおいても，結論の表明に先立ち，結論の表明に関する審査を受けなければならず，当該審査は，年度の財務諸表の監査と同一の方法及び内容であることが求められる。

エ．期中レビューは，年度の財務諸表の監査を前提として実施されるものであるが，期中レビューに関する調書のファイルは，年度の財務諸表の監査の監査ファイルとは別のファイルにして整理することになる。

1．アイ　　2．アウ　　3．アエ　　4．イウ　　5．イエ　　6．ウエ

問題 58 期中レビュー②

期中レビューに関する次の記述のうち，正しいものの組合せとして最も適切な番号を一つ選びなさい。

ア．期中レビューにおける重要性の基準値は，年度の財務諸表の監査に係る重要性の基準値よりも小さくする場合もあり得るが，少なくとも，年度の財務諸表の監査に係る重要性の基準値を上限としなければならない。

イ．監査人は，期中財務諸表について適正に表示していない事項が存在する可能性が高いと認められる場合には，追加的な質問や関係書類の閲覧その他の実証手続を実施して当該事項の有無を確かめなければならない。

ウ．結論に関する除外事項を付した限定付結論を表明する場合，修正すべき事項については必ず記載しなければならないが，当該事項が期中財務諸表に与える影響については可能であれば記載するものとされる。

エ．当中間会計期間において新たに継続企業の前提に重要な疑義を生じさせるような事象又は状況が発生した場合，監査人は，当中間会計期間の事業年度の末日までを対象として経営者の評価を検討しなければならない。

1．アイ　2．アウ　3．アエ　4．イウ　5．イエ　6．ウエ

問題 59　期中レビュー③

期中レビューに関する次の記述のうち，正しいものの組合せとして最も適切な番号を一つ選びなさい。

ア．監査人は，分析的手続を実施した結果，財務変動に係る矛盾又は異常な変動がある場合には，追加的な質問を実施するとともに，回答の合理性を確かめるために証憑突合を実施しなければならない。
イ．監査人は，期中財務諸表が，年度の財務諸表の作成の基礎となる会計記録に基づいて作成されていることを確かめなければならないが，当該会計記録の適切性について証拠を入手することは求められていない。
ウ．期中レビューは，年度の財務諸表の監査と同様の保証を得ることを目的とするものではないため，期中レビュー計画は，年度の財務諸表の監査の監査計画とは別に策定しなければならない。
エ．監査人は，継続企業の前提に関する重要な不確実性が認められる場合において，当該事項が期中財務諸表に適切に記載されていないと判断したときは，限定付結論又は否定的結論を表明し，その理由を記載しなければならない。

1．アイ　2．アウ　3．アエ　4．イウ　5．イエ　6．ウエ

問題 60　財務諸表の保証業務

監査人が作成する金融商品取引法に基づく無限定の保証報告書（監査報告書，中間監査報告書，期中レビュー報告書）で記載される文言について，次のうち，正しいものの組合せとして最も適切な番号を一つ選びなさい。

記号	記載される文言	報告書の種類		
		監査報告書	中間監査報告書	期中レビュー報告書
ア	第193条の２第１項	○	○	○
イ	監査証拠	○	○	×
ウ	合理的な保証	○	×	×
エ	適正に表示していない	×	×	×

1．アイ　　2．アウ　　3．アエ　　4．イウ　　5．イエ　　6．ウエ

□
□
□

問題 61　内部統制監査①

内部統制監査に関する次の記述のうち，正しいものの組合せとして最も適切な番号を一つ選びなさい。

ア．内部統制監査は，原則として，財務諸表監査と同一の監査人により行われるものとされるが，ここでいう「同一の監査人」は，監査事務所が同一であることを意味し，監査責任者が同一であることまでは必ずしも求められない。
イ．経営者及び監査人による内部統制の評価及び監査は，あくまで期末日における有効性を対象とするものであり，一事業年度にわたった有効性を対象とするものではない。
ウ．監査人は，期末日において開示すべき重要な不備が存在する場合，当該開示すべき重要な不備が記載されていない内部統制報告書に対して，除外事項を付した限定付適正意見を表明できることがある。
エ．財務報告に係る内部統制に開示すべき重要な不備があっても，直ちに財務諸表が適正でないことにはならないが，一般に，この場合，財務諸表監査において，内部統制に依拠した通常の試査による監査は実施できないと考えられる。

1．アイ　　2．アウ　　3．アエ　　4．イウ　　5．イエ　　6．ウエ

問題 62　内部統制監査②

□□□

内部統制監査に関する次の記述のうち，正しいものの組合せとして最も適切な番号を一つ選びなさい。

ア．内部統制監査は，内部統制の有効性の評価結果という経営者の主張に対する監査人の意見を表明するものであるため，監査人は，経営者の評価結果を利用しない場合であっても，経営者の評価方法を具体的に検証しなければならない。

イ．監査人は，経営者による内部統制報告が不適切であることにより意見に関する除外事項を付した限定付適正意見又は不適正意見を表明する場合には，財務諸表監査に及ぼす影響を意見の根拠の区分に記載する。

ウ．監査人は，経営者の評価手続の一部が実施できなかったことについて，やむを得ない事情によると認められる場合には，評価ができなかった範囲の影響にかかわらず，無限定適正意見を表明することが容認されている。

エ．開示すべき重要な不備に関する強調事項としては，当該開示すべき重要な不備がある旨及び当該開示すべき重要な不備が財務諸表監査に及ぼす影響が記載されるが，当該開示すべき重要な不備の内容及びそれが是正されない理由は記載されない。

1．アイ　2．アウ　3．アエ　4．イウ　5．イエ　6．ウエ

□
□
□

問題 63　内部統制監査③

内部統制監査に関する次の記述のうち，正しいものの組合せとして最も適切な番号を一つ選びなさい。

ア．監査人は，評価範囲の決定方法や根拠等について経営者と協議を行うことは認められるが，有効な内部統制の構築等に向けて指摘を行うことは，自己監査となることを避けるため，認められていない。

イ．監査人は，経営者による内部統制の運用状況の評価の妥当性の検討に当たり，自らサンプルを全く抽出せずに，経営者が抽出したサンプルを自らのサンプルとして選択することもできる。

ウ．内部統制報告制度の導入当初，「財務報告の信頼性」とされていた内部統制の目的は，現在では「報告の信頼性」に改められており，評価及び監査の対象となる内部統制には，非財務報告や内部報告に係るものも含められている。

エ．経営者が前年度に開示すべき重要な不備を報告した場合における当該開示すべき重要な不備に対する是正状況を内部統制報告書に付記している場合であっても，内部統制監査報告書に追記することは義務付けられていない。

1．アイ　　2．アウ　　3．アエ　　4．イウ　　5．イエ　　6．ウエ

問題 64　保証業務の概念的枠組み①

□
□
□

保証業務に関する次の記述のうち，正しいものの組合せとして最も適切な番号を一つ選びなさい。

ア．業務実施者は，独立の立場から公正不偏の態度を保持することが最も重視されるため，自らが主題に責任を負う者となることはできないが，想定利用者の１人となることはできる。

イ．業務実施者が，合意された手続に基づき発見した事項のみを報告する業務においては，業務実施者が自らの判断により証拠を入手しないが，合意された手続の結果に基づき形成した結論が報告されるため，保証業務に該当する。

ウ．業務実施者が，主題に責任を負う者の経営又は税務上の判断に関わる助言や調査等を行う業務は，業務実施者による助言や調査等によって経営又は税務上の判断の妥当性が担保されるものの，保証業務には該当しない。

エ．定量的か定性的か，客観的か主観的か，といった主題の性格は，業務実施者が主題情報に係る保証を得る際の正確性及び入手可能な証拠の説得力に影響するため，保証報告書には，かかる主題の性格を記載する必要がある。

1．アイ　　2．アウ　　3．アエ　　4．イウ　　5．イエ　　6．ウエ

□
□
□

問題 65　保証業務の概念的枠組み②

保証業務に関する次の記述のうち，正しいものの組合せとして最も適切な番号を一つ選びなさい。

ア．主題に責任を負う者が自己の責任において主題情報を想定利用者に提示しない場合には，業務実施者が，主題それ自体について一定の規準によって評価又は測定した結果について，消極的形式による結論を表明しなければならない。

イ．想定利用者は，業務実施者が作成した保証報告書を利用する者であり，保証報告書を入手可能であっても，当該保証報告書の名宛人以外の者は，想定利用者に含まれない。

ウ．業務実施者は，保証業務について要請される要件及び保証業務の実施に関する基準に準拠して適切に業務を行わなかった場合には責任を負うが，この責任の対象となる範囲は，限定的保証業務と合理的保証業務とでは異なる。

エ．保証業務における規準が必要とされる要件を満たしていないか，あるいは主題が保証業務に適切でないことが判明した場合には，限定付の結論若しくは適正性や有効性等が認められないとの結論を報告することがある。

1．アイ　　2．アウ　　3．アエ　　4．イウ　　5．イエ　　6．ウエ

問題 66　特殊な監査業務①

□
□
□

監査人の意見に関する次の記述のうち，正しいものの組合せとして最も適切な番号を一つ選びなさい。

ア．監査人は，準拠性に関する意見を表明する場合においても，重要な虚偽表示がないことの合理的な保証を得ていることが必要とされるが，会計方針が会計事象や取引の実態を適切に反映するかどうかを評価することは求められない。

イ．準拠性に関する意見を表明する場合，財務諸表の表示方法が適切であるかどうかの評価には，財務諸表が表示のルールに準拠しているかどうかの評価は含まれるが，財務諸表の全体としての表示についての一歩離れて行う評価は含まれない。

ウ．監査人は，特別の利用目的に適合した会計の基準により作成される財務諸表であっても，適正性に関する意見を表明する場合には，当該財務諸表が当該会計の基準に準拠して，全ての重要な点において適正に表示しているかどうかについての意見を表明しなければならない。

エ．監査人は，財務諸表を構成する個別の財務表又は個別の財務諸表項目等に対する監査意見を表明する場合には，内部統制を含む，企業及び企業環境を理解することは求められない。

1．アイ　　2．アウ　　3．アエ　　4．イウ　　5．イエ　　6．ウエ

問題 67　特殊な監査業務②

特別目的の財務諸表及び個別の財務表又は財務諸表項目等に対する監査に関する次の記述のうち，正しいものの組合せとして最も適切な番号を一つ選びなさい。

ア．特別目的の財務諸表の作成において経営者が財務報告の枠組みの選択肢を有する場合，監査人は，経営者の責任に関する記載内容として，経営者は適用される財務報告の枠組みが状況に照らして受入可能なものであることを判断する責任を有する旨を監査報告書に含めなければならない。

イ．特別目的の財務諸表に関する監査報告書には，監査報告書が特定の利用者のみを想定しており，当該特定の利用者以外に配布及び利用されるべきものではない旨を記載しなければならない。

ウ．監査人は，個別の財務表又は財務諸表項目等に対する監査においては，準拠性に関する意見を表明しなければならず，適正性に関する意見を表明してはならない。

エ．監査人は，財務諸表全体に対して否定的意見を表明する場合であっても，当該財務諸表に含まれる財務諸表項目等に対する別の監査業務において，当該財務諸表項目等に対して無限定意見を表明することが適切であると考える場合には，無限定意見を表明することもある。

1．アイ　　2．アウ　　3．アエ　　4．イウ　　5．イエ　　6．ウエ

問題 68　監査基準の改訂

□
□
□

監査基準の改訂に関する次の記述のうち，正しいものの組合せとして最も適切な番号を一つ選びなさい。

ア．平成17年の改訂では，事業上のリスク等を重視したリスク・アプローチが導入されたが，財務諸表に重要な虚偽の表示が生じる可能性に応じて，発見リスクを決定し，監査手続を計画し実施するという基本的な考え方は変わらない。
イ．平成25年の改訂では，監査報告の対象となる財務諸表の社会的影響が小さく，監査報告の利用者も限定されているような監査である場合には，意見が適切に形成されているかどうかを確認しないことが容認された。
ウ．平成26年の改訂では，特定の利用者のニーズを満たすべく特別の利用目的に適合した会計の基準に準拠して作成された財務諸表については，準拠性に関する意見を表明することが明らかにされた。
エ．平成30年の改訂では，継続企業の前提に関する事項について独立した区分を設けて記載することとされたが，継続企業の前提に関する重要な不確実性が認められる場合に監査人が監査報告書に記載する要件に変更はない。

1．アイ　　2．アウ　　3．アエ　　4．イウ　　5．イエ　　6．ウエ

□
□
□

問題 69　金融商品取引法監査制度①

金融商品取引法監査制度に関する次の記述のうち，正しいものの組合せとして最も適切な番号を一つ選びなさい。

ア．金融商品取引法上，公認会計士又は監査法人による監査証明が必要とされる財務書類は，継続開示として提出が義務付けられる有価証券報告書等に含まれるものに限定されている。

イ．金融商品取引法に基づき監査証明を行った公認会計士又は監査法人は，年度の財務諸表の監査についてのみならず，中間監査，期中レビューについても，概要書を提出することが義務付けられている。

ウ．上場会社が開示する内部統制報告書については，公認会計士又は監査法人による監査証明が必要とされるが，内部統制報告書の訂正報告書を提出する場合には，この限りではない。

エ．臨時報告書は，必ずしも公認会計士又は監査法人による監査証明は必要とされないが，連結の範囲に影響を及ぼす企業結合に関する意思決定等の事実を開示する場合等，監査証明が必要とされる場合もある。

1．アイ　2．アウ　3．アエ　4．イウ　5．イエ　6．ウエ

問題 70　金融商品取引法監査制度②

金融商品取引法監査制度に関する次の記述のうち，正しいものの組合せとして最も適切な番号を一つ選びなさい。

ア．公益又は投資者保護に欠けることがないものとして内閣総理大臣の承認を受けた場合には，上場会社が提出する財務書類であっても，公認会計士又は監査法人の監査証明は必要とされない。

イ．子会社を擁する上場会社の場合，半期報告書において中間連結財務諸表及び中間財務諸表を開示するとともに，公認会計士又は監査法人の監査証明を受けることが求められる。

ウ．上場会社が提出する内部統制報告書は，公認会計士又は監査法人の監査証明が必要とされるが，新規上場会社が上場後３年を経過する日までの間に提出する内部統制報告書については監査証明は必要とされない。

エ．金融商品取引法は，監査証明を行う公認会計士又は監査法人に対して，法令違反等事実を発見した場合には，遅滞なく，当該事項に関する意見を内閣総理大臣に申し出ることを義務付けている。

1．アイ　　2．アウ　　3．アエ　　4．イウ　　5．イエ　　6．ウエ

□
□
□

問題 71　金融商品取引法監査制度③

金融商品取引法監査制度に関する次の記述のうち，正しいものの組合せとして最も適切な番号を一つ選びなさい。

ア．上場会社等以外の会社は，内部統制報告書を任意に提出することができるが，内部統制報告書を任意に提出する場合には，公認会計士又は監査法人の監査証明を受けなければならない。

イ．上場会社等のうち，銀行業，保険業等の特定の事業を行う会社は，半期報告書に含まれる中間財務諸表について，中間監査を受けることが義務付けられている。

ウ．上場会社等は，有価証券報告書の記載内容が適正であることを確認した旨の確認書を当該有価証券報告書と併せて提出しなければならないが，当該確認書について公認会計士又は監査法人の監査証明を受ける必要はない。

エ．外国会社が提出する有価証券報告書に記載される財務書類については，我が国の公認会計士又は監査法人による監査証明を受けなければならない。

1．アイ　　2．アウ　　3．アエ　　4．イウ　　5．イエ　　6．ウエ

問題 72　会社法監査制度①

□□□

会社法監査制度に関する次の記述のうち，正しいものの組合せとして最も適切な番号を一つ選びなさい。

ア．計算書類については，原則として，定時株主総会の承認を受けることが求められるが，会計監査人が無限定適正意見している限り，定時株主総会の承認は不要となり，取締役は計算書類の内容を報告するのみで足りる。

イ．会社法に基づき会計監査人の設置が義務付けられる株式会社以外の株式会社は，その資本金の多寡や機関設計にかかわらず，定款の定めによって任意に会計監査人を設置することができる。

ウ．監査役は，会計監査人が職務上の義務に違反し，又は職務を怠ったときは，その会計監査人を解任することができるが，そのためには，監査役の全員の同意がなければならない。

エ．会社法に基づき会計監査人の設置が義務付けられていない株式会社が事業年度中に増資したことにより資本金が5億円以上となった場合であっても，当該事業年度から会計監査人の監査が必要となるわけではない。

1．アイ　　2．アウ　　3．アエ　　4．イウ　　5．イエ　　6．ウエ

□
□
□

問題 73　会社法監査制度②

会社法監査制度に関する次の記述のうち，正しいものの組合せとして最も適切な番号を一つ選びなさい。

ア．会社法上，会計監査人の独立性を担保する観点から，会計監査人の選任議案及び報酬を決定する権限は，取締役の職務遂行の状況を監査する立場にある監査役に委ねられている。

イ．会社法上，連結計算書類の作成は，有価証券報告書提出会社である大会社に対して義務付けられているが，それ以外の会社であっても，会計監査人設置会社であれば，任意に連結計算書類を作成することができる。

ウ．会社法に基づく会計監査人監査においては，取締役会が決定する内部統制システムの基本方針のうち，会計に関する部分についても意見表明対象とされる。

エ．会計監査人の監査報告書においても，会計方針の変更，重要な偶発事象や重要な後発事象について，会計監査人が必要と認めた場合には，追記情報として記載されることとなる。

1．アイ　　2．アウ　　3．アエ　　4．イウ　　5．イエ　　6．ウエ

問題 74　会社法監査制度③

会社法上の企業内容開示についての次の記述のうち，正しいものの組合せとして最も適切な番号を一つ選びなさい。

ア．会計監査人による監査報告の通知期限は，特定取締役，特定監査役と合意を行っていない場合には，会計監査人が全ての計算書類を受領した日から４週間を経過した日又は当該計算書類の附属明細書を受領した日から１週間を経過した日のいずれか早い日となる。

イ．計算書類及びその附属明細書が法令又は定款に適合するかどうかについて会計監査人が監査役と意見を異にするときは，会計監査人は，定時株主総会に出席して意見を述べることができるが，その義務があるわけではない。

ウ．会社法上の計算関係書類には，キャッシュ・フロー計算書は含まれないため，会計監査人は，表明する意見においてキャッシュ・フローの状況の適正表示には言及しない。

エ．臨時計算書類は，一事業年度に満たない期間を対象とするため，会計監査人は，臨時計算書類については，期中レビューに準ずる手続を実施した結果に基づいて，消極的形式による結論を表明するものとされる。

1．アイ　　2．アウ　　3．アエ　　4．イウ　　5．イエ　　6．ウエ

□
□
□

問題 75 公認会計士監査制度①

公認会計士法に関する次の記述のうち，正しいものの組合せとして最も適切な番号を一つ選びなさい。

ア．公認会計士は，正当な理由がなく，その業務上取り扱ったことについて知り得た秘密を他に漏らし，又は盗用してはならないが，公認会計士でなくなった後は，この限りではない。

イ．監査法人制度の創設当初，監査法人の社員は全て公認会計士でなければならないとされていたが，現行制度上，公認会計士でない者が監査法人の社員となることも認められている。

ウ．有限責任監査法人とは，その社員の全部を有限責任社員とする定款の定めのある監査法人をいい，無限責任監査法人とは異なり，有限責任監査法人の社員が個人的財産に及ぶ無限責任を負うことはない。

エ．公認会計士法は，公認会計士の自主規制機関である日本公認会計士協会の事務や目的等のほか，公的な監視・監督機関である公認会計士・監査審査会の事務や目的等についても規定している。

1．アイ　2．アウ　3．アエ　4．イウ　5．イエ　6．ウエ

問題 76　公認会計士監査制度②

□
□
□

監査法人制度に関する次の記述のうち，正しいものの組合せとして最も適切な番号を一つ選びなさい。

ア．監査法人の社員は，競業が原則として禁じられるが，当該社員以外の社員の全員の承認を受けたときは，自己又は第三者のために公認会計士法第２条第１項及び第２項の業務を行うことができる。
イ．すべての有限責任監査法人は，その計算書類について，特別の利害関係のない公認会計士又は監査法人の監査報告書を添付しなければならない。
ウ．虚偽証明を行ったことにより，戒告，業務改善命令，業務停止命令又は解散命令の処分が監査法人に課される場合には，併せて虚偽証明となった業務を執行した社員である公認会計士個人に対して処分が課されることもある。
エ．監査法人の行う監査証明業務は，公認会計士である社員のみが業務を執行する権利を有し，義務を負うものとされるが，公認会計士でない社員であっても，補助者としてであれば監査証明業務に従事することはできる。

1．アイ　　2．アウ　　3．アエ　　4．イウ　　5．イエ　　6．ウエ

□
□
□

問題 77　公認会計士監査制度③

公認会計士法上の大会社等（以下「大会社等」という。）に関する次の記述のうち，正しいものの組合せとして最も適切な番号を一つ選びなさい。

ア．大会社等に該当しない会社については，監査証明業務を行った財務書類に係る会計期間の翌会計期間の終了の日までの間に当該会社の役員に就くことは制限されない。

イ．大会社等から非監査証明業務により継続的な報酬を受けている場合であっても，当該大会社等の財務書類について監査証明業務を行うことができるときもある。

ウ．大会社等については，監査関連業務への継続従事が制限されるが，制限の対象には，監査責任者のみならず，審査担当者も含まれ，さらに補助者が含まれることもある。

エ．大会社等のうち，上場会社の監査である場合，一定期間を超えて同一の監査法人が継続的に監査証明業務を提供することが禁じられている。

1．アイ　　2．アウ　　3．アエ　　4．イウ　　5．イエ　　6．ウエ

問題 78　公認会計士監査制度④

監査人の責任に関する次の記述のうち，正しいものの組合せとして最も適切な番号を一つ選びなさい。

ア．故意又は過失による虚偽証明に関する刑事責任としては，公認会計士である場合には懲役又は罰金，監査法人である場合には業務停止又は罰金が法定されている。

イ．無限責任監査法人が，特定の証明について，一人又は数人の業務を担当する社員を指定して行う場合に，当該証明に起因して会社及び第三者に生じた損害について無限連帯責任を負担するのは，当該指定された社員に限定される。

ウ．金融商品取引法は，公認会計士又は監査法人による監査証明が不正なものであるときは，一年以内の期間を定めて当該公認会計士又は監査法人による監査証明に係る書類の全部又は一部を受理しないことができると定めている。

エ．公認会計士に対する懲戒処分には，戒告，２年以内の業務の停止及び登録の抹消があるが，故意による虚偽証明に対しては，これらのうち，２年以内の業務の停止又は登録の抹消の処分とされる。

1．アイ　　2．アウ　　3．アエ　　4．イウ　　5．イエ　　6．ウエ

□□□

問題 79　倫理規則①

倫理規則に関する次の記述のうち，正しいものの組合せとして最も適切な番号を一つ選びなさい。

ア．概念的枠組みの適用は，会計事務所等所属の公認会計士が保証業務を行う場合に求められるものであり，非保証業務を行う場合や会計事務所等以外の組織所属の公認会計士が業務を行う場合には求められない。

イ．公認会計士は，金融商品取引法に基づき法令違反等事実の申出を行うときであっても，依頼人から守秘義務解除の了解が得られていない限り，申出を行ってはならない。

ウ．公認会計士は，専門業務の内容又は価値に基づいた報酬見積額を提示することが適切であるが，他の者よりも低い報酬見積額を提示すること自体は，直ちに倫理上の問題が生じるとは言えない。

エ．公認会計士は，保証業務に関連して成功報酬を請求することは禁じられているが，非保証業務であれば，監査業務の依頼人に対して成功報酬を請求することはできる。

1．アイ　　2．アウ　　3．アエ　　4．イウ　　5．イエ　　6．ウエ

□
□
□

問題 80　倫理規則②

倫理規則に関する次の記述のうち，正しいものの組合せとして最も適切な番号を一つ選びなさい。

ア．公認会計士が遵守すべき倫理上の基本原則のうち，誠実性の原則には，重要な虚偽又は誤解を招くような情報，思慮なく提供された情報及び省略又は曖昧にすることにより誤解を生じさせる情報に関与しないことが含まれる。
イ．公認会計士は，識別された基本原則の遵守に対する阻害要因を生じさせている状況を除去することができないときは，専門業務を辞退又は終了しなければならない。
ウ．会計事務所等は，社会的影響度の高い事業体であるか否かにかかわらず，5年連続して特定の監査業務の依頼人に対する報酬依存度が15%を超える場合には，原則として5年目の監査意見の表明後に監査人を辞任しなければならない。
エ．公認会計士は，日常の社会生活においても守秘義務を負い，特に業務上の関係者又は家族若しくは近親者への意図や違反の自覚がないことによる業務上知り得た秘密の開示には十分留意しなければならない。

1．アイ　　2．アウ　　3．アエ　　4．イウ　　5．イエ　　6．ウエ

解答・解説編

Certified Public Accountant

問題 1

正解 4

本問のポイント 監査基準報告書 500「監査証拠」

▼解　説▼

ア．**誤っている記述である**。例えば，依頼した陳述を経営者が拒んだ場合等，情報がないことそれ自体が監査証拠となる場合がある(同報告書A1-5項参照)。

イ．**正しい記述である**。数多くの監査証拠を入手したとしても，監査証拠の質の低さを補完しないことがあるが，補完できることも考えられる(同報告書A 4項参照)。

ウ．**正しい記述である**。同報告書A28項参照

エ．**誤っている記述である**。監査証拠間の矛盾については，監査手続を変更又は追加して解消することが要求されており，証明力がより強い監査証拠を一方的に優先することは認められない(同報告書10項参照)。

以上より，正しい記述はイ，ウであり，正解は4となる。

問題 2　　　　正解 6

本問のポイント　監査基準報告書 500「監査証拠」

▼解　説▼

ア．**誤っている記述である。**内部統制の運用について，観察の方が質問より強い証明力を有する監査証拠を入手することができる(同報告書A31項参照)。

イ．**誤っている記述である。**電子媒体その他の媒体による回答であっても，第三者から文書による回答を直接入手する限り，確認の定義を満たす(同報告書A18項参照)。

ウ．**正しい記述である。**同報告書A22項参照

エ．**正しい記述である。**

以上より，正しい記述はウ，エであり，正解は6となる。

問題 3　　正解 4

本問のポイント　監査基準報告書 501「特定項目の監査証拠」

▼解　説▼

ア．**誤っている記述である。**第三者が保管し，管理している棚卸資産が財務諸表において重要である場合には，以下のいずれか又は両方の手続を実施するものとされ，必ず確認を実施しなければならないわけではない(同報告書７項参照)。

①　棚卸資産の数量及び状態に関して，第三者に対して確認を実施すること。

②　実査，又は個々の状況において適切な他の手続を実施すること。

イ．**正しい記述である。**同報告書Ａ５項参照

ウ．**正しい記述である。**同報告書９項参照

エ．**誤っている記述である。**セグメント情報は，財務諸表を構成するものであり，監査の対象に含まれる。監査人は，適用される財務報告の枠組みに準拠してセグメント情報が表示及び開示されているかどうかについて，十分かつ適切な監査証拠を入手しなければならない(同報告書12項参照)。

以上より，正しい記述はイ，ウであり，正解は４となる。

問題 4　　正解 5

本問のポイント　確認

▼解　説▼

ア．**誤っている記述である。**売掛金の残高確認においては，通常，得意先に対して確認基準日現在の残高に同意するかどうかのみを問い合わせることになり，支払意思・能力に関わる情報は入手されない。そのため，その回収可能性に応じた金額の貸倒引当金の計上を通じて妥当な評価が行われているかどうか(評価の妥当性)に適合した監査証拠を入手することはできない(監査基準報告書330「評価したリスクに対応する監査人の手続」A48項参照)。

イ．**正しい記述である。**同報告書 505「確認」A16項参照

ウ．**誤っている記述である。**重要な虚偽表示リスクが低いことや確認差異の割合が非常に低く予想されていること等，監査実務指針が掲げる要件を全て満たす場合には，アサーション・レベルで評価した重要な虚偽表示リスクに対応するための単独の実証手続として消極的確認を利用することが認められる(同報告書14項参照)。

エ．**正しい記述である。**同報告書A23項参照

以上より，正しい記述はイ，エであり，正解は5となる。

問題 5　　正解 3

本問のポイント　監査基準報告書 520「分析的手続」

▼解　説▼

ア．**正しい記述である。**同報告書Ａ９項参照

イ．**誤っている記述である。**監査人が評価したリスクが高くなるほど，より確かな心証が得られる監査証拠を入手するため，監査上許容できる差異の金額は減少する(同報告書Ａ15項参照)。

ウ．**誤っている記述である。**監査人は，経営者の回答に関する適切な監査証拠を入手しなければならず，また，状況に応じて他の監査手続の実施が必要となることもある(同報告書６項参照)。

エ．**正しい記述である。**同報告書５項，Ａ16項参照

以上より，正しい記述はア，エであり，正解は３となる。

問題 6　　正解 3

本問のポイント　試査

▼解　説▼

ア．**正しい記述である。**特定項目抽出による試査の場合，特定の性質を有する項目のみが監査手続の対象として抽出されるため，残余部分に関する監査証拠を提供しないが，監査サンプリングによる試査の場合，母集団を代表するサンプルを抽出していることから，残余部分に関する監査証拠を提供することになる（監査基準報告書 500「監査証拠」A55項参照）。

イ．**誤っている記述である。**抽出されるサンプル数自体は，統計的サンプリング又は非統計的サンプリングの選択を決定付ける判断基準とはならない（同報告書 530「監査サンプリング」A 9 項参照）。

ウ．**誤っている記述である。**推定による虚偽表示に例外的な虚偽表示を加えた額が許容虚偽表示額を下回るとしても，近づいているときは，実際の虚偽表示が許容虚偽表示額を上回る可能性が高くなるため，テストされたサンプルは，母集団に関する結論に対して合理的な基礎を提供していないと判断することも考えられる（同報告書A22項参照）。

エ．**正しい記述である。**同報告書 500 A54項参照。なお，ノンサンプリングリスクは，精査においても生じる。

以上より，正しい記述はア，エであり，正解は３となる。

問題 7　　正解 4

本問のポイント　監査基準報告書 530「監査サンプリング」〔付録〕

▼解　説▼

ア．**サンプル数に与える影響は無視できる程小さい**。大きな母集団では，母集団を構成する項目数がサンプル数に与える影響は無視できるほど小さい。

イ．**減少する**。許容虚偽表示額が増加するほど，サンプル数をより少なくすることができる。

ウ．**減少する**。監査人が，特定の母集団における発見リスクの程度を許容可能な水準に抑えるために，他の実証手続(詳細テスト又は分析的実証手続)に依拠する程度を高めるほど，サンプリングにおいて必要な保証水準は低くなり，したがって，サンプル数をより少なくすることができる。

エ．**増加する**。監査人が内部統制の運用状況の有効性から相対的に高い保証を得ようとするほど，相対的に多くのサンプル数が必要となる。

以上より，サンプル数が減少するものはイ，ウであり，正解は4となる。

問題 8　　正解 3

本問のポイント　試査

▼解　説▼

ア．**正しい記述である。**母集団から一定金額以上の全ての項目を抽出して監査手続を実施する方法は，特定項目抽出による試査に該当する(監査基準報告書500「監査証拠」A54項参照)。

イ．**誤っている記述である。**許容虚偽表示額は，手続実施上の重要性より少額となる場合があり，同額に決定するとは限らない(同報告書530「監査サンプリング」A３項参照)。

ウ．**誤っている記述である。**監査人は，識別した全ての内部統制の逸脱又は虚偽表示の内容と原因を調査しなければならない(同報告書11項参照)。

エ．**正しい記述である。**同報告書12項参照

以上より，正しい記述はア，エであり，正解は３となる。

問題 9　　正解 5

本問のポイント　内部統制の理解

▼解　説▼

ア．**誤っている記述である。**特別な検討を必要とするリスクに対応する内部統制であるか否かにかかわらず，複数の内部統制が同一の目的を達成する場合に，その目的に関連する全ての内部統制を識別する必要はない(監査基準報告書 315「重要な虚偽表示リスクの識別と評価」25項(1)①，A140項参照)。

イ．**正しい記述である。**同報告書A164項照

ウ．**誤っている記述である。**この場合，なぜ企業のリスク評価プロセスが当該リスクを識別できなかったのかを理解することが求められ，場合によっては内部統制の重要な不備として扱われることも考えられるが，必ずそのように扱うことは求められていない(同報告書22項(1)参照)。

エ．**正しい記述である。**同報告書25項(1)②参照

以上より，正しい記述はイ，エであり，正解は5となる。

問題 10　　正解 3

本問のポイント　監査基準報告書 330「評価したリスクに対応する監査人の手続」

▼解　説▼

ア．**正しい記述である。**同報告書３項(3)参照

イ．**誤っている記述である。**監査人は，特定のアサーションに対して，運用評価手続を実施するだけで，評価した重要な虚偽表示リスクに有効に対応することが可能であると判断することがある(同報告書Ａ４項)。

ウ．**誤っている記述である。**運用評価手続を実施するのは，内部統制が有効に運用「されている」と想定する場合である。有効に運用「されていない」と想定する場合には，運用評価手続の実施によっても実証手続の軽減を図ることは見込めないため，運用評価手続の実施が却って監査の効率を損なうこととなる。そのため，この場合には運用評価手続は実施されない(同報告書７項参照)。

エ．**正しい記述である。**この場合，運用評価手続と組み合わせて実証手続を実施するか，又は実証手続のみを実施することとされ，運用評価手続のみを実施することは認められないことになる(同報告書21項参照)。

以上より，正しい記述はア，エであり，正解は３となる。

問題 11　　正解 3

本問のポイント　リスク評価手続及びリスク対応手続

▼解　説▼

ア．**正しい記述である。**監査基準報告書 315「重要な虚偽表示リスクの識別と評価」11項(10)①，31項参照

イ．**誤っている記述である。**実証手続によって虚偽表示が発見されていないことは，検証対象となっているアサーションに関連する内部統制が有効であることの監査証拠とはならない(同報告書 330「評価したリスクに対応する監査人の手続」15項参照)。

ウ．**誤っている記述である。**監査人は，評価した重要な虚偽表示リスクの程度にかかわらず，重要な取引種類，勘定残高又は注記事項に対する実証手続を立案し実施しなければならない(同報告書17項参照)。

エ．**正しい記述である。**同報告書25項参照

以上より，正しい記述はア，エであり，正解は３となる。

問題 12　　　正解 1

本問のポイント リスク評価手続及びリスク対応手続

▼解　説▼

ア．**正しい記述である。**監査基準報告書 315「重要な虚偽表示リスクの識別と評価」A19項参照

イ．**正しい記述である。**同報告書A48項参照

ウ．**誤っている記述である。**監査人は，運用評価手続と実証手続の双方の目的を持つテストを立案し実施することがあり(二重目的テストという。)，常に両者を別々に立案し実施しなければならないわけではない(同報告書 330「評価したリスクに対応する監査人の手続」A22項参照)。

エ．**誤っている記述である。**特別な検討を必要とするリスクに対して実証手続のみを実施する場合，必ず詳細テストを含めなければならないが，常に分析的実証手続を併せて実施することまでは義務とされない(同報告書20項参照)。

以上より，正しい記述はア，イであり，正解は1となる。

問題 13　　　正解 4

本問のポイント　監査基準報告書 320「監査の計画及び実施における重要性」

▼解　説▼

ア．**誤っている記述である。**重要性の判断においては，ごく限られた特定の利用者にしか影響を及ぼさないであろう事項に関する虚偽表示は考慮されない（同報告書２項参照）。

イ．**正しい記述である。**同報告書８項(3)参照

ウ．**正しい記述である。**同報告書９項参照

エ．**誤っている記述である。**監査計画の策定時に決定する重要性の基準値は，全ての未修正の虚偽表示が，いかなる場合においても個別に又は集計しても重要性がないと評価できる金額として設定する必要はない（同報告書６項参照）。

以上より，正しい記述はイ，ウであり，正解は４となる。

問題 14　　正解 5

本問のポイント　監査基準報告書 450「監査の過程で識別した虚偽表示の評価」

▼解　説▼

ア．**誤っている記述である。**注記事項に関する虚偽表示についても，他の虚偽表示と合わせて重要であるかどうかを判断することが求められる（同報告書A5項参照）。

イ．**正しい記述である。**同報告書6項参照

ウ．**誤っている記述である。**監査人は，監査の過程で集計した全ての虚偽表示について，適切な階層の経営者に適時に報告し，これらの虚偽表示を修正するよう経営者に求めなければならない（同報告書7項参照）。なお，識別した虚偽表示の集計には，明らかに僅少なものを含めることは求められていない（同報告書4項参照）。

エ．**正しい記述である。**同報告書A19項参照

以上より，正しい記述はイ，エであり，正解は5となる。

問題 15　　正解 4

本問のポイント　監査基準報告書 540「会計上の見積りの監査」

▼解　説▼

ア．**誤っている記述である**。会計上の見積りが固有リスク要因によって大きな影響を受ける場合には，職業的懐疑心の重要性が高まる(同報告書８項参照)。

イ．**正しい記述である**。同報告書38項(4)，A134項参照

ウ．**正しい記述である**。同報告書13項参照

エ．**誤っている記述である**。監査人の許容範囲は，重要性の基準値の数倍になることがあり，重要性の基準値と同額か，それより少額となるように設定することは求められていない(同報告書A125項参照)。

以上より，正しい記述はイ，ウであり，正解は４となる。

問題 16　　正解 3

本問のポイント　監査基準報告書 540「会計上の見積りの監査」

▼解　説▼

ア．**正しい記述である。** 同報告書A20項，A21項参照

イ．**誤っている記述である。** 会計上の見積りは過小表示されている場合があるため，財務諸表に計上又は注記された会計上の見積りの金額の大きさ自体は，虚偽表示の可能性の指標とはならない(同報告書A73項参照)。

ウ．**誤っている記述である。** 本記述の状況においては，監査人の見積額又は監査人の許容範囲を設定することが適切となることがあるが，必ず設定することが求められるわけではない(同報告書A118項参照)。

エ．**正しい記述である。** 同報告書28項(1)，A124項参照。監査人は，許容範囲の上限と下限がその状況において合理的であると判断するための証拠を入手する可能性が高く，それにより，これらの間の金額も合理的であると判断する場合があるとされる。

以上より，正しい記述はア，エであり，正解は3となる。

問題 17　　正解 4

本問のポイント　監査基準報告書 300「監査計画」

▼解　説▼

ア．**誤っている記述である。**監査の実施に必要な監査チームメンバーの能力，時期及び人数が明確にされるのは，監査契約に係る予備的な活動の実施ではなく，監査の基本的な方針の策定においてである(同報告書7項参照)。

イ．**正しい記述である。**同報告書8項参照

ウ．**正しい記述である。**本記述の場合，リスク対応手続の種類，時期及び範囲を修正することが「必要な場合がある」とされるにとどまり，修正が必須とされるわけではない(同報告書A15項参照)。

エ．**誤っている記述である。**効果的かつ効率的な方法で監査を実施するという監査計画の目的は，初年度監査，継続監査のいずれにおいても同じであるが，初年度監査においては，監査人は，通常，継続監査とは異なり，監査計画の策定時に考慮できる企業における過去の経験がないため，計画活動(監査計画に係る活動)をより広く実施することがある(同報告書A21項参照)。

以上より，正しい記述はイ，ウであり，正解は4となる。

問題 18　　正解 3

本問のポイント　情報システムの内部統制

▼解　説▼

ア．**正しい記述である。**監査基準報告書 315「重要な虚偽表示リスクの識別と評価」A136項参照

イ．**誤っている記述である。**ＩＴ全般統制の有効性が情報処理統制によって支えられているのではなく，情報処理統制の有効性がＩＴ全般統制によって支えられている(同報告書A138項参照)。

ウ．**誤っている記述である。**監査人は，重要な取引種類，勘定残高又は注記事項に関する情報処理活動を理解しなければならないが，関連する全ての情報処理統制を識別し，評価することは求められていない(同報告書24項(1)，A136項参照)。

エ．**正しい記述である。**同報告書A138項参照

以上より，正しい記述はア，エであり，正解は３となる。

問題 19　　正解 4

本問のポイント　監査基準報告書 230「監査調書」

▼解　説▼

ア．**誤っている記述である。** 監査調書は,「経験豊富な監査人」が理解できるように作成される(同報告書７項参照)。

イ．**正しい記述である。** 同報告書10項，A15項参照

ウ．**正しい記述である。** 同報告書Ａ３項参照

エ．**誤っている記述である。** 監査ファイルの最終的な整理は，通常，監査報告書日から60日程度を超えない適切な期限内に完了しなければならないとされ，監査報告書日前の完了は義務とされない(同報告書A21項参照)。

以上より，正しい記述はイ，ウであり，正解は４となる。

問題 20　　正解 5

本問のポイント　監査基準報告書 600「グループ監査における特別な考慮事項」

▼解　説▼

ア．**誤っている記述である。**グループ財務諸表は，連結財務諸表のみを意味するものではなく，例えば，複数の事業単位で組織されている単一の法人が作成する個別財務諸表が該当することもある（同報告書14項(11)，A4項，A27項参照）。

イ．**正しい記述である。**グループ財務諸表に対する監査報告書上，原則として，構成単位の監査人の利用に言及することは禁じられる（同報告書53項参照）が，除外事項付意見を表明する場合，状況によっては，除外事項付意見の理由を適切に記載するために構成単位の監査人への言及が必要な場合がある（同報告書A158項参照）。

ウ．**誤っている記述である。**グループ監査人は，構成単位の監査人が，グループ監査業務に適用される独立性を含む職業倫理に関する規定を遵守していない場合，その構成単位の監査人を利用してはならない（同報告書27項，A70項参照）。

エ．**正しい記述である。**同報告書14項(5)，35項参照

以上より，正しい記述はイ，エであり，正解は5となる。

問題 21　　正解 3

本問のポイント　監査基準報告書 600「グループ監査における特別な考慮事項」

▼解　説▼

ア．**正しい記述である。** 同報告書24項参照

イ．**誤っている記述である。** 構成単位は，監査の作業を実施する対象として決定されるものであり，監査と比較して得られる保証の程度が低いレビューの作業を実施することは想定されていない(同報告書14項(2)，A131項参照)。

ウ．**誤っている記述である。**「個々」の構成単位の手続実施上の重要性は，グループ・レベルの手続実施上の重要性より低くなければならない(同報告書35項(1)参照)が，構成単位の手続実施上の重要性の「合計」は，グループ・レベルの手続実施上の重要性を超える場合もあり，それ以下となるように決定することは義務付けられない(同報告書A116項参照)。

エ．**正しい記述である。** 同報告書45項(5)参照

以上より，正しい記述はア，エであり，正解は3となる。

問題 22　　正解 6

本問のポイント　監査基準報告書 620「専門家の業務の利用」

▼解　説▼

ア．**誤っている記述である。** 監査人は，外部の専門家であるか内部の専門家であるかにかかわらず，監査人の利用する専門家が必要な適性，能力及び客観性を備えているかどうかを評価することが求められる(同報告書８項参照)。

イ．**誤っている記述である。** 監査人は，専門家の業務に重要な仮定及び方法が採用されている場合には，それらの仮定及び方法についての個々の状況における適合性と合理性を評価することが求められている(同報告書11項⑵参照)。

ウ．**正しい記述である。** 同報告書14項参照

エ．**正しい記述である。** 同報告書10項参照

以上より，正しい記述はウ，エであり，正解は６となる。

問題 23　　正解 2

本問のポイント　監査基準報告書 610「内部監査人の作業の利用」

▼解　説▼

ア．**正しい記述である。**同報告書A21項参照

イ．**誤っている記述である。**内部監査機能の客観性と能力の水準とは相互補完的なものではなく，内部監査機能が十分な能力を有していない場合には，たとえ内部監査人の客観性が強く確保されているときであっても，内部監査人の作業を利用してはならない(同報告書12項，Ａ９項参照)。

ウ．**正しい記述である。**同報告書14項参照

エ．**誤っている記述である。**監査人は，内部監査人の作業の利用を計画している場合，内部監査人と協議することが義務として要求されている(同報告書17項参照)。

以上より，正しい記述はア，ウであり，正解は2となる。

問題 24　　正解　4

本問のポイント　監査基準報告書 580「経営者確認書」

▼解　説▼

ア．**誤っている記述である**。監査人が経営者確認書への記載を要請した事項に経営者が変更を加えている場合，重要な問題が存在する可能性はある（同報告書Ａ１項参照）ものの，要請した事項の確認が得られなかったことを必ずしも意味するわけではない（同報告書A23項参照）。そのため，一律に要請した事項の確認が得られなかったものと扱うことも求められていない。

イ．**正しい記述である**。同報告書19項参照

ウ．**正しい記述である**。同報告書Ａ14項参照

エ．**誤っている記述である**。比較情報が対応数値の場合，比較情報は当年度の財務諸表の一部として表示されるため，監査人は，当年度の財務諸表のみについて経営者確認書に記載することを要請すれば足りる（同報告書 710「過年度の比較情報」８項，Ａ１項参照）。

以上より，正しい記述はイ，ウであり，正解は４となる。

問題 25　　正解 4

本問のポイント　監査報告書の記載事項

▼解　説▼

ア．**誤っている記述である。**財務諸表の作成責任は，経営者が負うものであり，監査役等に財務諸表の作成責任があることは記載されない（報告基準三，監査基準報告書 700「財務諸表に対する意見の形成と監査報告」31項(1)参照)。

イ．**正しい記述である。**同報告書26項参照

ウ．**正しい記述である。**同報告書38項参照

エ．**誤っている記述である。**監査人が，財務諸表監査に併せて，内部統制の有効性に対して意見を表明している場合においても，財務諸表監査の目的は変わらないため，内部統制の評価に関する監査報告書上の記載は変更する必要はなく，監査人の責任の区分には，財務諸表監査の目的は内部統制の有効性について意見表明するものではないことについて記載される（同報告書A49項参照)。

以上より，正しい記述はイ，ウであり，正解は4となる。

問題 26　　正解 6

本問のポイント　監査報告書の記載事項

▼解　説▼

ア．**誤っている記述である。**会計帳簿と会計記録，又は会計システムは内部統制と不可分とみなすことができるため，経営者の責任として，その妥当性について個別に記載することは求められていない(監査基準報告書 700「財務諸表に対する意見の形成と監査報告」44項参照)。

イ．**誤っている記述である。**監査報告書には，我が国における職業倫理に関する規定に従って，会社から独立しており，また，監査人としてのその他の倫理上の責任を果たしている旨が記載される(同報告書26項参照)。

ウ．**正しい記述である。**同報告書26項，同報告書 705「独立監査人の監査報告書における除外事項付意見」25項，A24項,《文例４》参照

エ．**正しい記述である。**同報告書 700第36項⑶, 37項⑵参照

以上より，正しい記述はウ，エであり，正解は６となる。

問題 27　　正解 2

本問のポイント　監査報告書の形式要件

▼解　説▼

ア．**正しい記述である。**監査基準報告書 700「財務諸表に対する意見の形成と監査報告」20項，A21項参照

イ．**誤っている記述である。**監査報告書の署名は，監査事務所名のみによることも認められるが，署名とは別に，監査報告書には監査責任者の氏名を含めることが求められる(同報告書41項参照)。

ウ．**正しい記述である。**同報告書43項，A56項参照

エ．**誤っている記述である。**事務手続上，企業に監査報告書を提出する日は，監査報告書日より後となることもあり，両者は必ずしも同一とならない(同報告書 560「後発事象」A２項参照)。

以上より，正しい記述はア，ウであり，正解は２となる。

問題 28　　正解 2

本問のポイント　監査報告

▼解　説▼

ア．**正しい記述である。**監査基準報告書 700「財務諸表に対する意見の形成と監査報告」12項参照

イ．**誤っている記述である。**適正表示の枠組みでは，財務報告の枠組みにおいて具体的に要求されている以上の注記や，財務報告の枠組みからの離脱が必要な場合があることから，必要な注記又は離脱が行われていない場合には，適用される財務報告の枠組みにおいて要求される事項に準拠して財務諸表が作成されているとしても，除外事項付意見が表明されることがある（同報告書16項参照）。

ウ．**正しい記述である。**同報告書 705「独立監査人の監査報告書における除外事項付意見」５項参照

エ．**誤っている記述である。**この場合においても，その影響が広範でなければ限定意見を表明することになり，また，その影響が広範であるとしても，現実的な対応として可能であれば監査契約を解除するものとされ，必ず意見不表明の監査報告書を発行しなければならないわけではない（同報告書10項～12項参照）。

以上より，正しい記述はア，ウであり，正解は２となる。

問題 29　　正解 2

本問のポイント　監査報告

▼解　説▼

ア．**正しい記述である。**公認会計士法25条３項,34条の12第３項，監査基準報告書 700「財務諸表に対する意見の形成と監査報告」A18項，A55項参照

イ．**誤っている記述である。**この場合，法令等で禁止されていない場合，実務的に困難でなく，かつ監査人が開示されていない情報について十分かつ適切な監査証拠を入手したときは，開示されていない情報を記載しなければならない(同報告書 705「独立監査人の監査報告書における除外事項付意見」22項参照)。

ウ．**正しい記述である。**同報告書19項(2)参照

エ．**誤っている記述である。**この場合，否定的意見又は意見不表明の原因以外の事項に関する開示が，財務諸表の利用者の理解に資する場合があるため，当該事項を記載することが要求されている(同報告書A23項参照)。

以上より，正しい記述はア，ウであり，正解は２となる。

問題 30　　正解 5

本問のポイント　追記情報

▼解　説▼

ア．**誤っている記述である。**除外事項が識別されている財務諸表上の表示又は開示を強調事項として記載することは認められないが，除外事項以外に利用者の注意を喚起する必要があると判断する財務諸表上の表示又は開示がある場合には，除外事項付意見を表明する監査報告書に「強調事項」区分が設けられることもある(監査基準報告書 706「独立監査人の監査報告書における強調事項区分とその他の事項区分」7項，A7項参照)。

イ．**正しい記述である。**同報告書8項⑴, 10項参照

ウ．**誤っている記述である。**監査上の主要な検討事項は,「その他の事項」区分ではなく,「監査上の主要な検討事項」区分を設けて記載する。「その他の事項」区分に記載する事項は，監査上の主要な検討事項に該当しないと判断しているものであることが求められる(同報告書9項参照)。

エ．**正しい記述である。**同報告書A14項参照

以上より，正しい記述はイ，エであり，正解は5となる。

問題 31　　正解　2

本問のポイント　追記情報

▼解　説▼

ア．**正しい記述である。**監査基準報告書 706「独立監査人の監査報告書における強調事項区分とその他の事項区分」A16項参照

イ．**誤っている記述である。**公認会計士法の規定により要求される利害関係の記載は，強調事項ではなく，その他の事項に当たる(同報告書A11項参照)。

ウ．**正しい記述である。**同報告書８項,10項参照

エ．**誤っている記述である。**監査人は,「強調事項」区分又は「その他の事項」区分を設けることが見込まれる場合，その旨と当該区分の文言の草案について，監査役等とコミュニケーションを行うことが求められている(同報告書11項参照)。

以上より，正しい記述はア，ウであり，正解は２となる。

問題 32　　正解 4

本問のポイント　監査報告上の判断

▼解　説▼

ア．**誤っている記述である。**本記述の場合，財務諸表に虚偽表示があることになるため，意見に関する除外事項として扱われ，不適正意見を表明することはあるが，意見表明が禁じられる原因とはならない(監査基準報告書 250「財務諸表監査における法令の検討」25項参照)。

イ．**正しい記述である。**この場合，継続企業を前提として財務諸表を作成することに関する十分かつ適切な監査証拠を入手することができないことがあり，その影響が広範であれば意見を表明しないことになる(同報告書 570「継続企業」23項，A34項参照)。

ウ．**正しい記述である。**確認を要請した事項の全部について確認が得られない場合には，監査実施の基礎となる経営者の責任に関する事項についても確認が得られないことになるため，意見表明の余地はない(同報告書 580「経営者確認書」19項参照)。

エ．**誤っている記述である。**前年度の財務諸表が監査されていない場合，監査報告書のその他の事項区分に比較情報が監査されていない旨を記載しなければならないが，当年度の財務諸表の財務諸表に重要な影響を及ぼす虚偽表示が期首残高に含まれていないという十分かつ適切な監査証拠を入手できないとは限らず，一律に意見表明が禁じられるわけではない(同報告書 710「過年度の比較情報」13項,18項参照)。

以上より，正しい記述はイ，ウであり，正解は4となる。

問題 33　　正解 4

本問のポイント　監査報告書上の対応

▼解　説▼

ア．**誤っている対応である。**売掛金残高を検証できなかったということは，監査範囲の制約を意味するため，不適正意見を表明する理由にはならない(監査基準報告書 705「独立監査人の監査報告書における除外事項付意見」付録文例５参照)。

イ．**正しい対応である。**継続企業の前提に重要な疑義を生じさせるような事象又は状況に関して経営者が評価及び対応策を示さないときには，継続企業の前提に関する重要な不確実性が認められるか否かを確かめる十分かつ適切な監査証拠を入手できないことがあるため，その影響次第では意見不表明となる(報告基準六３参照)。

ウ．**正しい対応である。**損害賠償請求訴訟の影響次第では，監査報告書上，財務諸表における注記による開示を強調事項として追記することが考えられる。

エ．**誤っている対応である。**その他の事項は，財務諸表に表示又は開示されていない事項を対象とするものであり，会計方針の変更に関する財務諸表上の注記をその他の事項として記載する対応は誤っている。

以上より，正しい対応はイ，ウであり，正解は４となる。

問題 34　　正解 1

本問のポイント　監査基準報告書 240「財務諸表監査における不正」

▼解　説▼

ア．**正しい記述である。**同報告書6，7項参照

イ．**正しい記述である。**同報告書12項参照

ウ．**誤っている記述である。**過去の経験にかかわらず，監査人は，不正による重要な虚偽表示が行われる可能性に常に留意しなければならない（同報告書11項参照）。

エ．**誤っている記述である。**不正を防止し発見する基本的な責任は，経営者のみならず，取締役会又は監査役等にもあり，経営者の監視を通じてその責任を果たすことが求められる（同報告書4項参照）。

以上より，正しい記述はア，イであり，正解は1となる。

問題 35　　　正解 4

本問のポイント　監査基準報告書 240「財務諸表監査における不正」

▼解　説▼

ア．**誤っている記述である**。監査人は，収益認識において不正リスクがあるという推定を適用する状況にないと判断することもある(同報告書25項，A28項参照)。

イ．**正しい記述である**。同報告書28項参照

ウ．**正しい記述である**。同報告書32-2項，A47項参照

エ．**誤っている記述である**。監査人は，経営者による内部統制を無効化するリスクに対する監査人の評価にかかわらず，経営者による内部統制の無効化に関係したリスク対応手続を実施しなければならない(同報告書31項参照)。

以上より，正しい記述はイ，ウであり，正解は4となる。

問題 36　　正解 3

本問のポイント　不正リスク対応基準

▼解　説▼

ア．**正しい記述である。** 不正リスク対応基準の設定前文二３(1)参照

イ．**誤っている記述である。** 不正リスク対応基準は，職業的懐疑心の考え方について，これまでの監査基準で採られている，監査を行うに際し，経営者が誠実であるとも不誠実であるとも想定しないという中立的な観点を変更するものではない(同設定前文二４(2)参照)。

ウ．**誤っている記述である。** 不正リスク対応基準の新設に当たっては，本記述のような連携を義務付けることも検討されたが，解決すべき論点が多いことから，基準化は見送られている(同設定前文一２参照)。

エ．**正しい記述である。** 同設定前文二３(3)参照

以上より，正しい記述はア，エであり，正解は３となる。

問題 37　　正解 4

本問のポイント　不正リスク対応基準

▼解　説▼

ア．**誤っている記述である。**不正による重要な虚偽表示の兆候を示す状況のうち，不正による重要な虚偽表示が行われている可能性がより高いものが不正による重要な虚偽表示を示唆する状況であり，本記述では反対となっている（監査基準報告書 240「財務諸表監査における不正」10項(4)，F(5)参照）。

イ．**正しい記述である。**同報告書24項参照

ウ．**正しい記述である。**同報告書F44－２項参照

エ．**誤っている記述である。**代替的な監査手続を実施する場合において，企業及び当該企業の子会社等が作成した情報のみを利用するときには，当該情報の信頼性についてより慎重に判断することが要求されるが，企業及び当該企業の子会社等が作成した情報のみを利用することが禁じられるわけではない（同報告書 505「確認」F11－２項参照）。

以上より，正しい記述はイ，ウであり，正解は４となる。

問題 38　　　正解 2

本問のポイント　不正リスク対応基準

▼解　説▼

ア．**正しい記述である。**不正による重要な虚偽表示を示唆する状況を識別していない場合であっても，識別した不正リスクに対応して追加的な監査手続を実施してもなお十分かつ適切な監査証拠を入手できないときには，不正による重要な虚偽表示の疑義があるとして扱うことが要求される（不正リスク対応基準の設定前文４(3)⑤，不正リスク対応基準第二11，監査基準報告書 240「財務諸表監査における不正」F35-３項参照」）。

イ．**誤っている記述である。**この場合，当該疑義に関連した記述を経営者確認書に含めることを要請するかどうかを検討しなければならないが，必ず要請することが義務付けられているわけではない（同報告書Ｆ38-２項参照）。

ウ．**正しい記述である。**同報告書FA50-３項参照

エ．**誤っている記述である。**監査責任者は，不正による重要な虚偽表示を示唆する状況が識別された場合には本記述の責任を負う（同報告書 220「監査業務における品質管理」Ｆ35-２JP項参照）。

以上より，正しい記述はア，ウであり，正解は２となる。

問題 39　　正解 3

本問のポイント　監査基準報告書 250「財務諸表監査における法令の検討」

▼解　説▼

ア．**正しい記述である。**同報告書14項参照

イ．**誤っている記述である。**監査人は，財務諸表に直接的に関連しない法令の遵守について十分かつ適切な監査証拠を入手する必要はない（同報告書Ａ11項参照）。

ウ．**誤っている記述である。**明らかに軽微である違法行為については，監査役等に報告する必要はない（同報告書22項参照）。

エ．**正しい記述である。**同報告書19項参照

以上より，正しい記述はア，エであり，正解は３となる。

問題 40　　正解 4

本問のポイント　継続企業の前提

▼解　説▼

ア．**誤っている記述である。**継続企業の前提に関する重要な不確実性が認められない限り，継続企業の前提に関する財務諸表上の開示は不要である（財務諸表等規則８条の27参照）。

イ．**正しい記述である。**監査基準報告書 570「継続企業」12項参照

ウ．**正しい記述である。**同報告書15項(5)参照

エ．**誤っている記述である。**継続企業の前提に重要な疑義を生じさせるような事象又は状況が財務諸表以外の箇所において開示されている場合，当該開示は，その他の記載内容に当たることになり，監査人は，その内容を通読し，財務諸表又は監査人が監査の過程で得た知識との間に重要な相違がないかどうか検討する責任を負うことになる（同報告書19項参照）。ただし，その他の記載内容の信頼性を保証する責任を負うわけではない。

以上より，正しい記述はイ，ウであり，正解は４となる。

問題 41　　正解 3

本問のポイント　監査基準報告書 570「継続企業」

▼解　説▼

ア．**正しい記述である**。同報告書２項参照

イ．**誤っている記述である**。監査人には，経営者が継続企業を前提として財務諸表を作成することの適切性について十分かつ適切な監査証拠を入手し結論付ける責任がある(同報告書６項参照)。

ウ．**誤っている記述である**。監査人は，期末日の翌日から少なくとも12か月間の経営者の評価期間を超えて継続企業の前提に重要な疑義を生じさせるような事象又は状況を識別するために，経営者へ質問を行う必要がある(同報告書14項，Ａ13項参照)。ただし，それ以外に，他の監査手続を追加して実施する必要はない。

エ．**正しい記述である**。同報告書21項，Ａ29項参照

以上より，正しい記述はア，エであり，正解は３となる。

問題 42　　正解 6

本問のポイント　継続企業

▼解　説▼

ア．**誤っている記述である。**監査人は，継続企業の前提に重要な疑義を生じさせるような事象又は状況を識別しているか否かにかかわらず，継続企業の前提に関して経営者が行った評価を検討しなければならない（監査基準報告書 570「継続企業」11項参照）。

イ．**誤っている記述である。**継続企業の前提に重要な疑義を生じさせるような事象又は状況が存在している場合であっても，継続企業の前提に関する重要な不確実性が認められないときは，財務諸表上の注記は不要である。そのため，この場合に財務諸表に注記がないとしても，虚偽表示には当たらず，意見に関する除外事項としての監査報告上の対応を行うことにはならない。

ウ．**正しい記述である。**同報告書20項，A25項参照

エ．**正しい記述である。**同報告書25項参照

以上より，正しい記述はウ，エであり，正解は6となる。

問題 43　　正解 3

本問のポイント　監査役等とのコミュニケーション

▼解　説▼

ア．**正しい記述である。**監査基準報告書 260「監査役等とのコミュニケーション」15項，A28項参照

イ．**誤っている記述である。**監査事務所の品質管理システムの整備・運用状況の概要に関するコミュニケーションには，監査事務所の品質管理システムの外部のレビュー又は検査の結果を含めることが求められる(同報告書16項参照)。

ウ．**誤っている記述である。**財務報告プロセスに対する監査役等による監視にとって重要と判断した事項のコミュニケーションは，口頭によることもでき，書面又は電磁的記録によることは義務付けられない(同報告書18項参照)。

エ．**正しい記述である。**同報告書21項，A52項参照

以上より，正しい記述はア，エであり，正解は3となる。

問題 44

正解　1

本問のポイント　監査役等とのコミュニケーション

▼解　説▼

ア．**正しい記述である。**監査基準報告書 260「監査役等とのコミュニケーション」14項(5)，A23項参照

イ．**正しい記述である。**同報告書16項，A30項参照

ウ．**誤っている記述である。**財務諸表監査に関連する監査人の責任についての監査役等とのコミュニケーションには，財務諸表監査は，経営者又は監査役等の責任を代替するもの「ではない」ことが含められる（同報告書12項(1)参照）。

エ．**誤っている記述である。**経営者確認書の草案については，必ず監査役等とコミュニケーションを行う必要がある（同報告書14項(4)参照）。

以上より，正しい記述はア，イであり，正解は１となる。

問題 45　　正解 5

本問のポイント　監査上の主要な検討事項

▼解　説▼

ア．**誤っている記述である。** 監査上の主要な検討事項の報告は，継続企業の前提に関する重要な不確実性に関する報告の代替となることもない（監査基準報告書 701「独立監査人の監査報告書における監査上の主要な検討事項の報告」4項参照）。

イ．**正しい記述である。** 同報告書7項，A18項参照

ウ．**誤っている記述である。** 監査人は，監査上の主要な検討事項がない場合には，監査報告書に「監査上の主要な検討事項」の見出しを付した区分を設けて，その旨を記載しなければならない（同報告書15項参照）。

エ．**正しい記述である。** 同報告書12項但書参照

以上より，正しい記述はイ，エであり，正解は5となる。

問題 46　　　　正解 1

本問のポイント　監査上の主要な検討事項

▼解　説▼

ア．**正しい記述である。**監査基準報告書 701「独立監査人の監査報告書における監査上の主要な検討事項の報告」A11項参照

イ．**正しい記述である。**同報告書14項参照

ウ．**誤っている記述である。**この場合，監査人が監査の基準に基づき正当な注意を払って職業的専門家としての判断において当該情報を含めることは，守秘義務が解除される正当な理由に該当し，認められる(同報告書A55項参照)。

エ．**誤っている記述である。**監査における監査人の対応としては，以下のいずれか，又は組み合わせて記載するものとされ，必ず②を記載しなければならないわけではない(同報告書A46項参照)。

①　監査上の主要な検討事項に最も適合している，又は評価した重要な虚偽表示リスクに焦点を当てた監査人の対応又は監査アプローチの内容

②　実施した手続の簡潔な概要

③　監査人による手続の結果に関連する記述

④　当該事項に関する主要な見解

以上より，正しい記述はア，イであり，正解は1となる。

問題 47　　正解 5

本問のポイント　品質管理基準報告書第１号「監査事務所における品質管理」

▼解　説▼

ア．**誤っている記述である**。監査事務所の最高責任者以外の者が品質管理システムに関する最高責任者となった場合においても，品質管理システムに関する説明責任を含む最終的な責任は，監査事務所の最高責任者が負う（同報告書20‐２JP項参照）。

イ．**正しい記述である**。複雑でない監査事務所では，監査事務所の監督について全責任を持つ一人の経営担当の社員が全ての責任者を兼ねることがあり，これらを兼ねることは禁じられていない（同報告書Ａ35項参照）。

ウ．**誤っている記述である**。監査事務所は，監査事務所が実施する業務の内容や監査事務所の状況を考慮して必要と考える場合には，追加の品質目標を設定しなければならない（同報告書24項参照）。ただし，監査事務所の性質及び状況並びに監査事務所が実施する業務の内容及び状況によっては，その必要がないと判断することもある（同報告書Ａ43項参照）。

エ．**正しい記述である**。同報告書34項(2)参照

以上より，正しい記述はイ，エであり，正解は５となる。

問題 48　　正解 1

本問のポイント　品質管理基準報告書第１号「監査事務所における品質管理」

▼解　説▼

ア．**正しい記述である。**同報告書34項(3)，Ａ121項参照

イ．**正しい記述である。**同報告書30項(1)①，Ａ69項参照

ウ．**誤っている記述である。**審査を要しないとすることができるのは，幼稚園のみを設置している都道府県知事所轄学校法人の私立学校振興助成法に基づく監査又は任意監査のうち，監査報告の対象となる財務諸表の社会的影響が小さく，かつ，監査報告の利用者が限定されている監査業務に限られ（同報告書34-２JP項参照），会社法監査において審査を要しないとすることはできない。

エ．**誤っている記述である。**完了した監査業務の検証の対象には，当該監査業務に係る審査も含まれるため，その客観性を確保する観点から，当該監査業務の審査担当者が実施することも禁じられる（同報告書39項(2)参照）。

以上より，正しい記述はア，イであり，正解は１となる。

問題 49　　正解 4

本問のポイント　監査基準報告書 220「監査業務における品質管理」

▼解　説▼

ア．**誤っている記述である。** 監査責任者は，必ずしも全ての監査調書を査閲する必要はない(同報告書32項，A91項参照)。

イ．**正しい記述である。** 同報告書19項参照

ウ．**正しい記述である。** 同報告書36-3JP項参照

エ．**誤っている記述である。** 監査責任者は，不正リスク対応基準が適用となる監査業務であるか否かにかかわらず，実施した引継の状況について，監査事務所の適切な部署又は者に報告されていることを確かめなければならない(同報告書42-2JP項参照)。

以上より，正しい記述はイ，ウであり，正解は4となる。

問題 50　　正解 2

本問のポイント　監査基準報告書 220「監査業務における品質管理」

▼解　説▼

ア．**正しい記述である。**同報告書20項，A46項参照

イ．**誤っている記述である。**この場合，状況によっては監査契約が解除されることも考えられるが，状況を問わず解除することが義務として要求されるわけではない(同報告書24項，A57項参照)。

ウ．**正しい記述である。**同報告書26項参照

エ．**誤っている記述である。**監査事務所が定めた品質管理システムに不備が識別された場合であっても，個々の監査業務が職業的専門家としての基準及び適用される法令等を遵守して実施されなかったこと(又は監査意見の形成が当該状況において適切ではなかったこと)を必ずしも示すものではない(同報告書A112項参照)。

以上より，正しい記述はア，ウであり，正解は2となる。

問題 51

正解 5

本問のポイント 品質管理基準報告書第２号「監査業務に係る審査」

▼解　説▼

ア．**誤っている記述である。**公認会計士法上の大会社等であるかどうかにかかわらず，監査責任者が審査担当者に就任するには，２年間のクーリングオフ期間を設けなければならず，監査責任者として関与した直後に審査担当者に就任することは禁じられる(同報告書19項参照)。

イ．**正しい記述である。**同報告書23項参照

ウ．**誤っている記述である。**審査担当者による監査報告書の検討には，該当する場合には，監査上の主要な検討事項の記述も含まれる(同報告書25項(6)参照)。

エ．**正しい記述である。**同報告書Ａ4－２JP項(2)参照

以上より，正しい記述はイ，エであり，正解は５となる。

問題 52　　　正解 3

本問のポイント　監査基準報告書 900「監査人の交代」

▼解　説▼

ア．**正しい記述である。**同報告書15項，20項，《付録２》，《付録３》参照

イ．**誤っている記述である。**監査人予定者の守秘義務は，監査契約を締結しない場合においても，将来にわたり存続する（同報告書《付録２》参照）。

ウ．**誤っている記述である。**設問の状況における監査契約の締結は禁じられ，監査契約を締結する余地はない（同報告書12項参照）。

エ．**正しい記述である。**同報告書14項参照

以上より，正しい記述はア，エであり，正解は３となる。

問題 53　　正解 2

本問のポイント　監査基準報告書 210「監査業務の契約条件の合意」

▼解　説▼

ア．**正しい記述である**。同報告書Ａ８項参照

イ．**誤っている記述である**。監査人は，監査契約の締結に当たり，監査実施の基礎となる経営者の責任を認識し理解していることについて経営者の合意を得ることになり，監査契約書には，当該経営者の責任も記載される(同報告書８項(3)参照)。

ウ．**正しい記述である**。同報告書Ａ32項参照

エ．**誤っている記述である**。経営者が財務諸表の作成に関連すると認識している記録や証憑書類等の全ての情報を提供する責任を含め，監査実施の基礎となる経営者の責任を認識し理解していることについて経営者の合意が得られないときには，監査契約を新規に締結又は更新することは禁じられる(同報告書６項(2)参照)。

以上より，正しい記述はア，ウであり，正解は２となる。

問題 54

正解 **3**

本問のポイント　監査基準報告書 560「後発事象」

▼解　説▼

ア．**正しい記述である。**同報告書９項参照

イ．**誤っている記述である。**監査人は，後発事象の有無にかかわらず，後発事象の網羅性に関する記載を経営者確認書に含めることを経営者に要請しなければならない(同報告書８項参照)。

ウ．**誤っている記述である。**期末日後に申請・決裁された稟議書については，監査人が必要かつ適切であると考える場合に閲覧することがあるが，要求事項として閲覧が義務とされるわけではない。なお，期末日後に開催された取締役会，監査役会，監査等委員会又は監査委員会，株主総会の議事録については，要求事項として閲覧が義務とされる(同報告書６項，Ａ７項参照)。

エ．**正しい記述である。**監査報告書日後であるとしても，財務諸表の修正又は財務諸表における開示が必要であると判断する事象の存在を知り得た時点で，まだ監査報告書を企業に提出しておらず，かつ，経営者が適切に修正又は開示を行わず，さらに，当該事項が財務諸表に及ぼす影響が重要かつ広範である場合には，不適正意見を表明する監査報告書を提出することになる(同報告書12項参照)。

以上より，正しい記述はア，エであり，正解は３となる。

問題 55　　正解 4

本問のポイント　監査基準報告書 710「過年度の比較情報」

▼解　説▼

ア．**誤っている記述である。**対応数値方式の場合，監査意見は，対応数値を含む当年度の財務諸表に対して表明されるため，監査人は，当年度の財務諸表のみについて経営者確認書に記載するよう経営者に要請する（同報告書Ａ１項参照）。

イ．**正しい記述である。**同報告書10項参照

ウ．**正しい記述である。**前年度の財務諸表を前任監査人が監査している場合，監査人は，その他の事項区分を設けて当該事項について記載することがあるが，必ず記載することが求められているわけではない（同報告書12項参照）。

エ．**誤っている記述である。**この場合，対応数値が監査されていない旨は，強調事項区分ではなく，その他の事項区分に記載しなければならない（同報告書13項参照）。

以上より，正しい記述はイ，ウであり，正解は４となる。

問題 56　　正解 5

本問のポイント　監査基準報告書 720「その他の記載内容に関連する監査人の責任」

▼解　説▼

ア．**誤っている記述である。** 監査人は，その他の記載内容を全て通読しなければならず，財務諸表又は監査人が監査の過程で得た知識に関連しないその他の記載内容についても，重要な誤りがあると思われる兆候に注意を払うことが求められている(報告基準八１，同報告書14項参照)。

イ．**正しい記述である。** 同報告書A20項参照。ただし，監査報告書日より後に入手したその他の記載内容についても，監査報告書日以前に入手したその他の記載内容と同様に，通読し検討することが求められる(同報告書６項参照)。

ウ．**誤っている記述である。** 監査人は，その他の記載内容に対して意見を表明するものではなく，その他の記載内容に対して表明した意見は監査報告書に記載されない(報告基準八２，同報告書８項,21項参照)。

エ．**正しい記述である。** 報告基準八２，同報告書A56項，同報告書 705「独立監査人の監査報告書における除外事項付意見」28項参照

以上より，正しい記述はイ，エであり，正解は５となる。

問題 57　　正解 5

本問のポイント　期中レビュー

▼解　説▼

ア．**誤っている記述である**。監査人は，期中レビュー計画の策定に当たり，年度の財務諸表の監査において行われる重要な虚偽表示のリスクの評価を考慮することが求められる(期中レビュー基準・実施基準1参照)。

イ．**正しい記述である**。

ウ．**誤っている記述である**。監査事務所は，期中レビューの目的を踏まえて，審査の方法，内容等を柔軟に定めることができ，期中レビューにおける審査は，年度の財務諸表の監査と同一の方法及び内容であることは求められない(品質管理基準報告書第2号「監査業務に係る審査」A30-2JP項参照)。

エ．**正しい記述である**。調書のファイルは，基本的に，保証報告書(監査報告書・期中レビュー報告書)ごとに整理することになり，年度の財務諸表の監査に係るものと期中レビューに係るものとは別のファイルにして整理することとされる。

以上より，正しい記述はイ，エであり，正解は5となる。

問題 58　　正解 2

本問のポイント　期中レビュー

▼解　説▼

ア．**正しい記述である。**

イ．**誤っている記述である。**この場合，追加的な質問や関係書類の閲覧等の追加的な手続を実施することが求められるが，実証手続の実施は求められない(期中レビュー基準・実施基準8参照)。

ウ．**正しい記述である。**期中レビュー基準・報告基準6参照

エ．**誤っている記述である。**この場合，経営者の評価について検討対象とする期間は1年間とされる。

以上より，正しい記述はア，ウであり，正解は2となる。

問題 59　　正解 5

本問のポイント　期中レビュー

▼解　説▼

ア．**誤っている記述である**。分析的手続を実施した結果，財務変動に係る矛盾又は異常な変動がある場合には，追加的な質問を実施し，その原因を確かめなければならない(期中レビュー基準・実施基準6参照)が，回答の合理性を確かめるために証憑突合を実施することは求められない。

イ．**正しい記述である**。期中レビュー基準・実施基準7参照

ウ．**誤っている記述である**。監査人は，期中レビュー計画を，年度の財務諸表の監査の監査計画のなかで策定することができ，別に策定することは義務付けられていない(期中レビュー基準・実施基準3参照)。

エ．**正しい記述である**。期中レビュー基準・報告基準12(2)参照

以上より，正しい記述はイ，エであり，正解は5となる。

問題 60　　正解 1

本問のポイント　金融商品取引法に基づく保証報告書

▼解　説▼

ア．**正しい**。

イ．**正しい**。

ウ．**誤っている**。中間監査報告書では，監査人の責任の区分において「監査人の責任は，監査人が実施した中間監査に基づいて，全体として中間連結財務諸表の有用な情報の表示に関して投資者の判断を損なうような重要な虚偽表示がないかどうかの合理的な保証を得て，中間監査報告書において独立の立場から中間連結財務諸表に対する意見を表明することにある。」と記載される。

エ．**誤っている**。期中レビュー報告書では，監査人の結論の区分において「適正に表示していないと信じさせる事項が全ての重要な点において認められなかった。」と記載される。

以上より，正しい組合せはア，イであり，正解は1となる。

問題 61　　正解 5

本問のポイント　内部統制監査

▼解　説▼

ア．**誤っている記述である。**内部統制監査と財務諸表監査の監査責任者は同一であることが求められる(財務報告に係る内部統制の評価及び監査の基準Ⅲ２参照)。

イ．**正しい記述である。**同基準Ⅱ３(1)参照

ウ．**誤っている記述である。**期末日に存在する開示すべき重要な不備が記載されていない内部統制報告書に対しては，不適正意見を表明しなければならず，除外事項を付した限定付適正意見を表明することは認められない。

エ．**正しい記述である。**同基準Ⅲ２参照

以上より，正しい記述はイ，エであり，正解は５となる。

問題 62　　　正解 5

本問のポイント　内部統制監査

▼解　説▼

ア．**誤っている記述である**。監査人は，経営者の評価結果を利用する場合を除き，経営者の評価方法を具体的に検証する必要はない。

イ．**正しい記述である**。同基準Ⅲ 4 (4) 参照

ウ．**誤っている記述である**。やむを得ない事情によると認められる場合であっても，内部統制の評価ができなかった範囲の影響が内部統制報告書に対する意見を表明できないほどに重要であると判断したときは，意見を表明してはならない。

エ．**正しい記述である**。同基準Ⅲ 4 (6) 参照

以上より，正しい記述はイ，エであり，正解は5となる。

問題 63　　正解 5

本問のポイント　内部統制監査

▼解　説▼

ア．**誤っている記述である。**監査人が有効な内部統制の構築等に向けて指摘を行うことは禁じられていない。

イ．**正しい記述である。**監査人は，経営者が抽出したサンプルの妥当性の検討を行った上で，監査人自らが改めて当該サンプルをサンプルの全部又は一部として選択することができ，自らサンプルを全く抽出しないこともできる。

ウ．**誤っている記述である。**内部統制の基準の令和５年改訂により，改訂されたＣＯＳＯ報告書との整合性の観点から，内部統制の目的は「財務報告の信頼性」から「報告の信頼性」に改められているが，内部統制報告制度の目的が財務報告の信頼性の確保にあることに変わりはなく，評価及び監査の対象となる内部統制も財務報告に係るものに限られ，非財務報告や内部報告に係るものは含まれない。

エ．**正しい記述である。**内部統制の基準及び関連する監査実務指針上，当該付記を追記することを義務付ける定めはないが，必要に応じて追記することは考えられる。

以上より，正しい記述はイ，エであり，正解は５となる。

問題 64　　正解 6

本問のポイント　保証業務

▼解　説▼

ア．**誤っている記述である**。業務実施者は，想定利用者の１人となることもできない(財務情報等に係る保証業務の概念的枠組みに関する意見書四２参照)。なお，主題に責任を負う者は，想定利用者の１人となることはできるが，唯一の利用者となることはできないとされる(同意見書四４参照)。

イ．**誤っている記述である**。合意された手続においては，発見した事項のみが報告され，業務実施者が何らかの結論を形成して報告することはない。特定の業務が保証業務に該当するためには，業務実施者が自ら入手した証拠に基づき規準に照らして判断した結果を結論として報告するという定義を満たしていることが必要となるため，合意された手続は，保証業務に該当しないものと位置付けられている(同意見書二１，４(1)①参照)。

ウ．**正しい記述である**。同意見書二４(1)③，四４参照。

エ．**正しい記述である**。同意見書五３参照

以上より，正しい記述はウ，エであり，正解は６となる。

問題 65

正解 6

本問のポイント 保証業務

▼解　説▼

ア．**誤っている記述である。**ダイレクト・レポーティング(直接報告による保証業務)における結論の表明は，積極的形式によることもあり，消極的形式によらなければならないわけではない(財務情報等に係る保証業務の概念的枠組みに関する意見書二２参照)。

イ．**誤っている記述である。**保証報告書の名宛人以外であっても，当該保証報告書を入手可能な者は，想定利用者に含まれる(同意見書四４参照)。

ウ．**正しい記述である。**同意見書二３⑶参照

エ．**正しい記述である。**同意見書八４参照

以上より，正しい記述はウ，エであり，正解は６となる。

問題 66　　正解 4

本問のポイント　監査基準の平成26年改訂

▼解　説▼

ア．**誤っている記述である。**監査人は，準拠性に関する意見を表明する場合においても，会計方針が会計事象や取引の実態を適切に反映するかどうかを評価することが求められる(同改訂前文二３)。

イ．**正しい記述である。**同改訂前文二１参照

ウ．**正しい記述である。**報告基準一１参照

エ．**誤っている記述である。**個別の財務表又は個別の財務諸表項目等に対する監査意見を表明する場合であっても，意見を表明するために必要な範囲で，内部統制を含む，企業及び企業環境を理解することが求められる(同改訂前文二２参照)。

以上より，正しい記述はイ，ウであり，正解は４となる。

問題 67　　正解 3

本問のポイント　特殊な監査業務

▼解　説▼

ア．**正しい記述である。** 監査基準報告書 800「特別目的の財務報告の枠組みに準拠して作成された財務諸表に対する監査」12項参照

イ．**誤っている記述である。** 配布又は利用の制限は，監査人が適切であると判断した場合に付されるものであり，必ず制限を付さなければならないわけではない（同報告書14項参照）。また，配付又は利用のいずれか一方のみを制限する場合もある。

ウ．**誤っている記述である。** 個別の財務表又は財務諸表項目等に対する監査においても，適正性に関する意見を表明することがある（同報告書 805「個別の財務表又は財務諸表項目等に対する監査」Ａ８項参照）。

エ．**正しい記述である。** ただし，無限定意見を表明するためには，当該意見が表明される監査報告書が否定的意見（又は意見不表明）が含まれる監査報告書とともに発行されないこと等の条件が全て満たされていることが前提となる（同報告書15項参照）。

以上より，正しい記述はア，エであり，正解は３となる。

問題 68　　正解 3

本問のポイント　監査基準の改訂

▼解　説▼

ア．**正しい記述である。**監査基準の平成17年改訂前文二１参照。

イ．**誤っている記述である。**平成25年の改訂では，審査ではなく，より簡便的な方法により意見形成の適切性を確認することが容認されたが，意見形成の適切性の確認それ自体を省略することは容認されていない(報告基準一５参照)。

ウ．**誤っている記述である。**特別目的の財務諸表であっても，必ず準拠性に関する意見を表明するわけではなく，適正性に関する意見を表明することもある(報告基準一１参照)。

エ．**正しい記述である。**監査基準の平成30年改訂前文二２⑵参照

以上より，正しい記述はア，エであり，正解は３となる。

問題 69　　正解 4

本問のポイント　金融商品取引法監査制度

▼解　説▼

ア．**誤っている記述である。**公認会計士又は監査法人による監査証明は，発行開示として提出が義務付けられる有価証券届出書に含まれる財務書類についても必要とされる。

イ．**正しい記述である。** 監査証明府令５条参照

ウ．**正しい記述である。**訂正内部統制報告書に対する監査証明は必要とされない。

エ．**誤っている記述である。**臨時報告書について監査証明が必要とされることはない。

以上より，正しい記述はイ，ウであり，正解は４となる。

問題 70

正解　2

本問のポイント　金融商品取引法監査制度

▼解　説▼

ア．**正しい記述である。**同法193条の２第１項但書参照

イ．**誤っている記述である。**連結ベースの開示会社である場合，中間連結財務諸表のみを開示すれば足り，個別ベースの中間財務諸表の開示は義務付けられない。

ウ．**正しい記述である。**同法193条の２第２項４号参照

エ．**誤っている記述である。**法令違反等事実について申し出ることが義務付けられるのは，監査役等に通知してなお適切な措置がとられずに一定の期間が経過した場合であり，発見した時点で直ちに申し出なければならないわけではない(同法193条の３参照)。

以上より，正しい記述はア，ウであり，正解は２となる。

問題 71　　正解 4

本問のポイント　金融商品取引法監査制度

▼解　説▼

ア．**誤っている記述である。**公認会計士又は監査法人の監査証明が義務付けられる内部統制報告書は，その提出義務が課されているもの（上場会社等が提出するもの）に限られ，任意に提出される内部統制報告書に対する監査証明は義務付けられていない。

イ．**正しい記述である。**四半期レビュー基準の設定前文三２参照

ウ．**正しい記述である。**

エ．**誤っている記述である。**外国会社が提出する有価証券報告書に記載される財務書類については，外国監査法人等から監査証明に相当すると認められる証明を受けた場合，我が国の公認会計士又は監査法人による監査証明を受けることは必要とされない（金融商品取引法193条の２第１項参照）。

以上より，正しい記述はイ，ウであり，正解は４となる。

問題 72　　正解 6

本問のポイント　会社法監査制度

▼解　説▼

ア．**誤っている記述である。**計算書類について定時株主総会の承認が不要となるためには，以下の全てが満たされていることが必要となる(会社計算規則135条)。

①　会計監査人が無限定適正意見を表明していること。

②　会計監査報告に係る監査役等の監査報告の内容として会計監査人の監査の方法又は結果を相当でないと認める意見がないこと。

③　会計監査報告に係る監査役等の監査報告に付記された内容が②の意見でないこと。

④　計算書類が監査役等の監査を受けたものとみなされたものでないこと。

⑤　取締役会を設置していること。

本記述は，①のみで承認が不要となるとしているため，誤っている。

イ．**誤っている記述である。**会計監査人の独立性を担保する観点から，監査役が設置されていない会社が会計監査人を設置することはできないものとされる(会社法327条3項参照)。

ウ．**正しい記述である。**会社法340条参照

エ．**正しい記述である。**大会社に該当するか否かは,「最終事業年度に係る」貸借対照表の計上額を基準として判断される(会社法2条1項6号参照)。そのため，期中に資本金が5億円以上となった場合であっても，その時点で大会社となるわけではなく，当該事業年度から会計監査人の監査が必要となるわけではない。

以上より，正しい記述はウ，エであり，正解は6となる。

問題 73　　　　　　正解 5

本問のポイント　会社法監査制度

▼解　説▼

ア．**誤っている記述である。**会計監査人の選任議案の決定権については，監査役等に委ねられているが，会計監査人の報酬について，監査役等には，決定権ではなく同意権が認められているに過ぎない(同法399条参照)。

イ．**正しい記述である。**同法444条参照

ウ．**誤っている記述である。**内部統制システムの基本方針については会計監査人ではなく監査役等の意見表明対象とされる。

エ．**正しい記述である。**会社計算規則126条参照

以上より，正しい記述はイ，エであり，正解は5となる。

問題 74　　正解　4

本問のポイント　会社法制度

▼解　説▼

ア．**誤っている記述である。**通知期限は，いずれか「遅い日」とされる（会社計算規則130条参照）。

イ．**正しい記述である。**同法398条参照

ウ．**正しい記述である。**

エ．**誤っている記述である。**分配可能額の算定という臨時計算書類の性格に鑑み，臨時計算書類については，レビューではなく監査を実施するものとされ，積極的形式による意見が表明されることとなる。

以上より，正しい記述はイ，ウであり，正解は４となる。

問題 75　　正解 5

本問のポイント　公認会計士法

▼解　説▼

ア．**誤っている記述である**。公認会計士の守秘義務は，公認会計士でなくなった後も継続する(同法27条)。

イ．**正しい記述である**。公認会計士でない者であっても，日本公認会計士協会に備える特定社員名簿に登録を受けることにより，監査法人の社員となることができる(同法34条の10の８参照)。

ウ．**誤っている記述である**。有限責任監査法人である場合であっても，監査証明業務について指定を受けた社員(指定有限責任社員)は，個人的財産に及ぶ無限責任を負う(同法34条の10の６第８項参照)。

エ．**正しい記述である**。同法６章，６章の２参照

以上より，正しい記述はイ，エであり，正解は５となる。

問題 76　　正解 6

本問のポイント　監査法人制度

▼解　説▼

ア．**誤っている記述である。**社員の全員の承認を受けることで行うことが認められるのは公認会計士法第２条第２項の業務に限られる（同法34条の14第２項参照）。

イ．**誤っている記述である。**その収益の額が10億円に満たない有限責任監査法人である場合には，監査報告書の添付は必要とされない（同法34条の32，同法施行令24条参照）。

ウ．**正しい記述である。**同法34条の21第６項参照

エ．**正しい記述である。**同法34条の10の２第４項参照

以上より，正しい記述はウ，エであり，正解は６となる。

問題 77　　正解 4

本問のポイント　監査人の独立性

▼解　説▼

ア．**誤っている記述である。**幹部就任制限は，大会社等に限定されない（公認会計士法28条の２参照）。

イ．**正しい記述である。**監査証明業務との同時提供が禁じられるのは，非監査証明業務のうち，財務書類を自ら作成していると認められる業務又は被監査会社等の経営判断に関与すると認められる業務として内閣府令で定められるものに限られる（同法34条の11の２，同法施行規則６条参照）。

ウ．**正しい記述である。**補助者であっても，監査責任者と同程度以上に実質的な関与をしていると認められる場合には，制限の対象に含まれることになる（同法24条の３，同法施行規則９条参照）。

エ．**誤っている記述である。**現行法上，監査法人自体の交代制は導入されていない。

以上より，正しい記述はイ，ウであり，正解は４となる。

問題 78　　正解 6

本問のポイント　監査人の責任

▼解　説▼

ア．**誤っている記述である。**監査法人に対する刑事罰は法定されていない。なお，監査法人に対して課されることがある業務停止処分は，刑事責任ではなく，行政責任と位置付けられる。

イ．**誤っている記述である。**指定証明の場合，当該証明に起因して「会社」に生じた損害について無限連帯責任を負担するのは，当該指定された社員に限定されるが,「第三者」に生じた損害については全ての社員が無限連帯責任を負担する。

ウ．**正しい記述である。**金融商品取引法193条の2第7項参照

エ．**正しい記述である。**同法29条,30条参照

以上より，正しい記述はウ，エであり，正解は6となる。

V監査制度

問題 79　　正解 6

本問のポイント　倫理規則

▼解　説▼

ア．**誤っている記述である。**概念的枠組みの適用は，会計事務所等所属であるか会計事務所等以外の組織所属であるか，又は保証業務であるか非保証業務であるかを問わず，公認会計士が専門業務を行う場合に求められるものである。

イ．**誤っている記述である。**金融商品取引法に基づく法令違反等事実の申出は，業務上知り得た秘密の開示が法令等によって要求されている場合として守秘義務が解除される正当な理由がある場合に該当し，依頼人の了解の有無にかかわらず行われることになる(同規則114.1　A1項(1)③，同法193条の3参照)。

ウ．**正しい記述である。**同規則330.3　A2項参照。ただし，正当な根拠に基づかない低廉な報酬見積額の提示は，適用される技術的及び職業的専門家としての基準に従って専門業務を実施することが困難となることが考えられることから，職業的専門家としての能力及び正当な注意の原則の遵守に対する自己利益という阻害要因が生じるとされる。

エ．**正しい記述である。**同規則R410.9項，410.10　A1項参照。ただし，非保証業務に関連して監査業務の依頼人に対して成功報酬を請求する場合には，自己利益という阻害要因に影響する可能性があるとされる。

以上より，正しい記述はウ，エであり，正解は6となる。

問題 80　　正解 3

本問のポイント　倫理規則

▼解　説▼

ア．**正しい記述である**。同規則R111．２項参照

イ．**誤っている記述である**。公認会計士は，阻害要因を生じさせている状況を除去することができない場合であっても，セーフガードを適用して阻害要因を許容可能な水準にまで軽減することができれば，専門業務を受嘱することができ，辞退又は終了することは強制されない(同規則R120．10項参照)。

ウ．**誤っている記述である**。本記述の対応が求められるのは，社会的影響度の高い事業体である場合に限られる(同規則R410．20項参照)。

エ．**正しい記述である**。同規則R114．１項参照

以上より，正しい記述はア，エであり，正解は３となる。

公認会計士　短答式試験対策シリーズ

アドバンスト問題集《もんだいしゅう》　監査論《かんさろん》　第《だい》15版《はん》

2007年11月５日　初　版　第１刷発行
2024年９月20日　第15版　第１刷発行

編著者　ＴＡＣ株式会社
（公認会計士講座）
発行者　多田敏男
発行所　ＴＡＣ株式会社　出版事業部
（ＴＡＣ出版）
〒101-8383
東京都千代田区神田三崎町3-2-18
電話03(5276)9492(営業)
FAX 03(5276)9674
https://shuppan.tac-school.co.jp
印　刷　株式会社　ワコー
製　本　株式会社　常川製本

ISBN 978-4-300-11454-4
N.D.C. 336

公認会計士講座のご案内